강력한 가톨릭대 인문계 논술

기출문제

저자 소개

저자 김근현은 현재 탁트인 교육, 일으킨 바람, 에듀코어 대표이다.
前 메가스터디 온라인에서 대입 논술과 면접, 자기소개서, 학생부종합 등 다양한 동영상 강의를 하였다.
현재는 학습 프로그램 개발 및 연구 활동을 통해 교육의 발전을 고민하고 있다.
홍익대학교에서 전자전기공학부를 졸업하고 동대학원에서 전자공학 석사(반도체 레이저)를 전공하였다. 또한 연세대학교 교육경영최고위자 과정을 마쳤으며 연세대학교 교육대학원에서 평생교육 경영을 공부하고 있다.

강력한 가톨릭대 인문계 논술 기출 문제

발   행 | 2024년 04월22일
저   자 | 김근현
펴낸이 | 김근현
펴낸곳 | 일으킨 바람
출판사등록 | 2018.11.12.(제2018-000186호)
주   소 | 경기도 고양시 일산서구 하이파크 3로 61 409동 1503호
전   화 | 031-713-7925
이메일 | iIleukinbaram@gmail.com

ISBN | 979-11-93208-38-0

www.iluekinbaram.com

강력한 가톨릭대 인문계

논술 기출문제

김근현 지음

차례

머리말

 책을 쓰기 위해 책상에 앉으면 아쉬움과 안타까움, 나의 게으름에 늘 한숨을 먼저 쉰다.
왜 지금 쓸까?
왜 지금에서야 이 내용을 쓸까?
왜 지금까지 뭐 했니?
스스로 자책을 한다.

또 애절함도 함께 느낀다.
시험이 코앞에서야 급한 마음에 달려오는
수험생들에게 왜 미리 제대로 준비된 걸 챙겨주지 못했을까?
그렇게 하루, 한 달, 일 년 그렇게 몇 해가 지나 이제야 조금 마음의 짐을 내려놓는다.

입에 단내 가득하도록 학생들에게 강의를 했고,
코앞에 다가온 연속된 수험생의 긴장감을 함께하다보면
그렇게 바쁘게 초조하게 지냈던 것 같다.

그렇게 함께했던 시간을 알기에
부족하겠지만
부디 이 책으로 수험생들이 부족한 일부를 채울 수 있고,
한 걸음이라도 희망하는 꿈을 향해 다갈 수 있길 간절히 바래 본다.

김 근 현

I. 가톨릭대학교 논술 전형 분석

1. 논술 전형 분석

1) 전형 요소별 반영 비율

전형요소	논술		학생부교과		총합	
논술고사	80%		20%		100%	
반영	최고점	최저점	최고점	최저점	최고점	최저점
	80점	0점	20	14점	100점	14점
실질반영비율	93.7%		7%			

2) 학생부 교과 반영

20% (2024학년도 논술 70%+학생부 30%에서 변경)

(ㄱ)   반영교과 및 반영비율

- 계열 구분 없이 국어, 수학, 영어, 사회, 과학 교과 반영
- 진로 선택과목 반영하지 않음

대 상	인정범위	반영 교과
졸업(예정)자	1학년 1학기 ～ 3학년 1학기	국어, 영어, 수학, 과학, 사회

(ㄴ)   공통과목 및 일반선택과목

구분	등급	1등급	2등급	3등급	4등급	5등급	6등급	7등급	8등급	9등급
변환점수		1000	990	980	950	900	800	700	500	0

(ㄷ)   교과성적 산출방법

$$교과성적 = \frac{\sum(세부 과목 석차등급별 배점 \times 세부 과목 이수단위)}{\sum(세부과목 이수단위)} \times 전형별 교과 반영비율$$

(ㄹ)   논술 전형 20% 적용시 학생부 교과 반영 점수

구분	등급	1등급	2등급	3등급	4등급	5등급	6등급	7등급	8등급	9등급
20%		100	99.5	99	98.5	98	97.5	97	90	70

3) 수능 최저학력 기준

없음 (단, 약학과, 의예과, 간호학과만 있음)

4) 논술 전형 결과 (2023학년도)

(ㄱ) 2023학년도 논술 전형 결과

모집단위		모집인원	지원인원	경쟁률	추가합격인원
인문계열	국어국문학과	3	70	23.33	0
	철학과	3	60	20.00	2
	국사학과	3	59	19.67	0
어문계열	영어영문학부	4	108	27.00	2
	중국언어문화학과	4	91	22.75	2
	일어일본문화학과	4	98	24.50	2
	프랑스어문화학과	3	67	22.33	0
사회과학계열	사회복지학과	4	90	22.50	1
	심리학과	4	151	37.75	1
	사회학과	4	98	24.50	5
	특수교육과	3	61	20.33	2
경영계열	경영학과	4	110	27.50	1
	회계학과	4	101	25.25	3
국제법정경계열	국제학부	4	100	25.00	0
	법학과	4	106	26.50	0
	경제학과	4	105	26.25	1
	행정학과	4	101	25.25	0
생활과학계열	공간디자인·소비자학과	3	83	27.67	0
	의류학과	3	84	28.00	1
	아동학과	3	58	19.33	1
	식품영양학과	3	46	15.33	2
자유전공학과 (인문사회)		6	163	27.17	2

(ㄴ) 2023학년도 논술 전형 결과 (내신)

모집단위		모집인원	지원인원	경쟁률	추가합격인원	지원자 내신			최초합격자 내신			최종등록자 내신		
						최고	평균	최저	최고	평균	최저	최고	평균	최저
인문계열	국어국문학과	3	70	23.33	0	3.44	5.54	8.34	3.63	4.78	5.79	3.63	4.78	5.79
	철학과	3	60	20.00	2	3.82	5.73	7.72	4.69	4.69	4.69	4.69	4.89	5.10
	국사학과	3	59	19.67	0	3.61	5.43	8.06	4.61	5.47	6.40	4.61	5.47	6.40
어문계열	영어영문학부	4	108	27.00	2	3.67	5.56	8.88	3.67	4.38	5.35	3.67	4.58	5.35
	중국언어문화학과	4	91	22.75	2	3.40	5.66	8.15	4.51	5.05	5.89	4.51	5.29	5.89
	일어일본문화학과	4	98	24.50	2	3.69	5.53	7.76	4.33	4.87	5.53	4.20	5.11	5.57
	프랑스어문화학과	3	67	22.33	0	3.97	5.83	8.07	5.10	5.22	5.36	5.10	5.22	5.36
사회과학계열	사회복지학과	4	90	22.50	1	2.80	5.59	8.35	2.80	4.38	5.30	4.48	5.12	5.79
	심리학과	4	151	37.75	1	3.34	5.42	7.68	4.12	4.44	4.73	4.12	4.37	4.73
	사회학과	4	98	24.50	5	3.44	5.55	8.57	4.34	4.65	4.97	4.78	5.27	5.80
	특수교육과	3	61	20.33	2	3.40	5.58	8.36	5.29	5.29	5.29	4.59	4.94	5.29
경영계열	경영학과	4	110	27.50	1	3.35	5.60	8.17	3.35	4.38	5.18	4.16	4.70	5.18
	회계학과	4	101	25.25	3	3.41	5.55	8.16	3.60	4.56	5.42	3.60	4.86	5.94
국제법정경계열	국제학부	4	100	25.00	0	3.32	5.41	7.44	4.48	5.46	6.28	4.48	5.46	6.28
	법학과	4	106	26.50	0	3.55	5.56	8.16	3.79	5.33	6.83	3.79	5.33	6.83
	경제학과	4	105	26.25	1	3.81	5.56	8.40	3.83	4.21	4.42	4.38	4.52	4.76
	행정학과	4	101	25.25	0	3.38	5.41	7.90	3.67	4.46	5.67	3.67	4.46	5.67
생활과학계열	공간디자인소비자학과	3	83	27.67	0	3.32	5.45	7.14	3.51	4.68	6.28	3.51	4.68	6.28
	의류학과	3	84	28.00	1	3.48	5.75	8.80	3.48	3.48	3.48	5.62	5.62	5.62
	아동학과	3	58	19.33	1	3.89	5.76	7.92	4.40	4.71	4.96	4.40	4.87	5.26
	식품영양학과	3	46	15.33	2	3.67	5.44	8.71	5.02	5.06	5.12	3.67	4.58	5.04
자유전공학과 (인문사회)		6	163	27.17	2	3.31	5.54	7.99	3.31	3.84	4.36	3.31	3.94	4.77

5) 논술 전형 결과 (2022학년도)

(ㄱ)   2022학년도 논술 전형 결과

모집단위		모집인원	지원인원	경쟁률	추가합격인원
인문계열	국어국문학과	5	164	32.8	2
	철학과	5	167	33.4	1
어문계열	영어영문학부	5	157	31.4	1
	중국언어문화학과	5	159	31.8	-
	일어일본문화학과	5	150	30.0	2
사회과학계열	심리학과	5	231	46.2	2
	사회학과	5	175	35.0	1
경영계열	경영학과	5	216	43.2	-
	회계학과	5	153	30.6	3
국제법정경계열	국제학부	5	220	44.0	1
	법학과	4	125	31.3	-
	경제학과	5	172	34.4	-
	행정학과	4	124	31.0	1
생활과학계열	공간디자인·소비자학과	4	143	35.8	-
	의류학과	4	146	36.5	-
	아동학과	4	127	31.8	-
	식품영양학과	4	77	19.3	2

(ㄴ)　2022학년도 논술 전형 결과 (내신)

모집단위		지원자			최초합격자			최종등록자		
		최고	평균	최저	최고	평균	최저	최고	평균	최저
인문계열	국어국문학과	3.30	5.40	8.27	3.47	4.66	6.33	4.20	5.09	6.33
	철학과	3.62	5,55	7.73	4.14	5.01	6.25	4,00	4.98	6.25
어문계열	영어영문학부	3.06	5.46	7.91	3.74	4.35	5.30	3.74	4.44	5.30
	중국언어문화학과	3.15	5.54	8.83	4.98	5.03	5.09	4.98	5.03	5.09
	일어일본문화학과	3.03	5,53	7.64	4.64	4.85	5.19	4.64	4.93	5.19
사회과학계열	심리학과	3.11	5.32	8.36	3.75	4.52	5.64	4.16	5.00	5.76
	사회학과	2.97	5.47	8.21	3.53	4.51	5.39	4.36	4.76	5.39
경영계열	경영학과	2.32	5.43	8.52	3.43	4.47	5.62	3.43	4.47	5.62
	회계학과	3.47	5.56	8.10	3.92	4.27	4.62	3.92	4.84	6.44
국제법정경계열	국제학부	3.24	5.33	8.24	3.70	4.54	4.99	3,70	4.71	5.23
	법학과	3.39	5.32	7.58	3.94	4.61	5.35	3.94	4.61	5.35
	경제학과	3.63	5.60	8.00	3,63	4.46	5.36	3.63	4.46	5.36
	행정학과	3.00	5.35	7.82	3.00	4.72	6.75	3.00	4.82	6.75
생활과학계열	공간디자인·소비자학과	2.25	5.43	8.29	3.99	4.48	4.98	3.99	4.48	4.98
	의류학과	3.45	5.65	8.04	4.49	5.41	6.64	4.49	5.41	6.64
	아동학과	3.74	5.67	8.53	3.74	4.63	5.40	3.74	4.63	5.40
	식품영양학과	3.03	5.47	7.99	4.08	5.19	5,78	4.08	5.02	6.19

6) 논술 전형 결과 (2021학년도)

(ㄱ)   2021학년도 논술 전형 결과

모집단위		모집인원	지원인원	경쟁률	추가합격인원
인문계열	국어국문학과	4	95	23.8	2
	철학과	4	89	22.3	2
	국사학과	4	74	18.5	2
어문계열	영어영문학부	5	107	21.4	-
	중국언어문화학과	4	82	20.5	-
	일어일본문화학과	4	96	24.0	3
사회과학계열	사회복지학과	5	120	24.0	-
	심리학과	5	145	29.0	1
	사회학과	5	115	23.0	1
경영계열	경영학과	6	162	27.0	2
	회계학과	6	130	21.7	1
국제법정경계열	국제학부	7	193	27.6	1
	법학과	4	98	24.5	0
	경제학과	4	92	23.0	1
	행정학과	4	92	23.0	1
생활과학계열	공간디자인·소비자학과	3	29	9.7	2
	의류학과	3	32	10.7	1
	아동학과	3	32	10.7	1
	식품영양학과	3	28	9.3	1
간호학과 (인문)		11	370	33.6 (실질 경쟁률 9.0:1)	-

(ㄴ)   2021학년도 논술 전형 결과 (내신)

모집단위		최초합격자			최종등록자		
		최고	평균	최저	최고	평균	최저
인문계열	국어국문학과	4.25	4.82	5.87	4.25	4.69	5.36
	철학과	3.45	4.48	5.49	4.13	4.73	5.49
	국사학과	4.34	4.83	5.30	3.61	4.78	5.44
어문계열	영어영문학부	3.88	4.79	5.62	3.88	4.79	5.62
	중국언어문화학과	4.45	5.04	6.00	4.45	5.04	6.00
	일어일본문화학과	4.42	4.97	6.10	4.42	5.29	6.10
사회과학계열	사회복지학과	3.98	4.54	5.28	3.98	4.54	5.28
	심리학과	2.38	3.79	4,61	4.07	4.27	4.61
	사회학과	3.36	4.36	6.26	3.45	4.79	6.26
경영계열	경영학과	3.98	4.53	5.58	4.08	4.64	5.58
	회계학과	4.10	4.67	5.71	4.10	4.66	5.71
국제법정경계열	국제학부	3.52	4.87	5.93	3.52	4.77	5.93
	법학과	3.67	4.38	5.01	3.67	4.38	5.01
	경제학과	3.07	4.78	6.64	3.07	5,00	6,64
	행정학과	3.50	4.14	5.28	3.50	4.54	5.56
생활과학계열	공간디자인·소비자학과	3.94	5.08	5.79	3.94	4.70	5.29
	의류학과	4.83	4.85	4.87	4.68	4.77	4.87
	아동학과	4.00	4.93	5.64	3.71	4.83	5.64
	식품영양학과	4.41	5.02	6.01	4.41	4.72	5.11
간호학과 (인문)		2.36	3.62	5.29	2.36	3.62	5.29

2. 논술 분석

구분	인문계열
출제 근거	고교 교육과정 내 출제
출제 범위	현 고등학교 교과
논술유형	인문형
문항 수	3문항
답안지 형식	문항별 글자수 제한, 원고지형 답안지
고사 시간	90분

1) 출제 구분 : 계열 구분

2) 출제 유형 : 언어논술(지문·자료 제시형)

1 요약형
  : 제시문의 내용을 정해진 글자 수대로 요약하기를 요구하는 유형
2 적용(설명)형
  : 제시문의 내용을 바탕으로 특정 용어나 개념을 설명하는 유형
3 비교 분석형
  : 복수의 제시문 간의 공통점과 차이점을 찾아낸 후 이를 특정 기준에 근거하여 논리적으로 분석, 서술하기를 요구하는 유형
4 자료 해석형
  : 제시문에 근거하여 주어진 자료를 분석한 후 그 결과를 바탕으로 자료가 시사하는 바를 밝히거나 이를 사회적 현상과 연결시켜 서술하기를 요구하는 유형
5 문제 해결형
  : 제시문에 제기된 문제에 대한 자신의 생각(해결방안, 개선방안 혹은 대안 등)을 제시문의 내용을 논거로 활용하여 서술하기를 요구하는 유형
6 복합형
  : 제시문의 대한 분석적, 비판적 이해를 바탕으로 하여, 자신의 종합적 견해를 서술하기를 요구하는 유형으로서, 위의 다섯 가지 유형의 하나 이상이 복합된 유형

3) 출제 원칙 :

(1) 고교 교과서에 기반한 고교 과정 내의 문제를 출제한다.
(2) 둘 이상의 지문을 종합적으로 분석하는 문제를 출제한다.
(3) 단순 암기나 도식적인 이해를 넘어선 제시문에 대한 문제해설력을 평가할 수 있는 문제를 출제한다.
(4) 우리의 삶과 밀접한 사안에 대해 합리적으로 사고하고 판단하는 능력을 측정할 수 있도록 출제한다.

3. 출제 문항 수

구분	인문계
	3문항
문항수	문항 1: 내용 파악 후, 비판적 사고 능력과 논술 능력(띄어쓰기 포함 300~350자/20점) 문항 2: 내용 파악 후, 비판적 사고 능력과 논술 능력(띄어쓰기 포함 500~600자/40점) 문항 3: 내용 파악 후, 비판적 사고 능력과 논술 능력(띄어쓰기 포함 500~600자/40점)

4. 시험 시간

· **90분**

5. 논술 유의사항

1) 답안 작성 시 유의 사항

1. 최초 답안 작성시 흑색 볼펜 또는 연필 사용
2. 지정된 답안 분량을 초과 또는 미달하지 않도록 유의
3. 답안은 제공된 답안지로만 작성하여야 하며, 답안 내용이나 답안 여백에 성명, 수험번호 등 개인 신상과 관련된 내용 표기 금지
4. 문제지, 답안지 및 연습지는 가지고 나갈 수 없음

2) 2024학년도 모의논술 채점 기준

1. 기본사항
   (1) 8등급으로 채점 : A+, AO, B+, BO, C+, CO, D, F※ F는 0점
   (2) 내용 80%, 형식 20%로 구별해서 채점
   (3) 내용이 F이면 형식도 F로 채점
   (4) 제목이나 이름 등이 표기된 경우의 처리
      ① 수험생의 신원을 유추하게 하는 이름 등의 정보가 답안과 별도로 표기된 경우, 내용과 형식 모두 F로 채점
      ② 수험생의 신원을 유추하게 하는 이름 등의 정보가 답안 속에 자연스럽게 노출된 경우, 형식 2등급 감점
      ③ 제목을 단 경우, 형식 2등급 감점

2. 답안의 내용과 형식에 대한 채점 기준
[형식]
   (1) 문장 구성, 표현, 표기, 문단 나누기 등이 부적절한 경우, 정도에 따라 1-3등급 감점
      ① 문장 구성이 자연스럽지 않거나 표현이 부정확한 경우

② 맞춤법, 원고지 사용법 등의 잘못이 있는 경우

③ 제시문의 문장을 그대로 옮겨 쓴 경우

※ 문장부호의 일부 및 교정부호는 온라인 모의논술고사의 답안 입력 시스템상 표기가 곤란하다는 점을 감안해 채점함.

(2) 분량

① 400자 이상 : 2등급 감점

② 350자 초과~400자 미만 : 1등급 감점

③ 250~300자 미만 : 1등급 감점

④ 200자~250자 미만 : 2등급 감점

⑤ 200자 미만 : F

[내용]

● 문항 취지 분석

① 제시된 글을 비판적으로 분석하는 사고능력을 평가한다.

② 글의 논지를 정확하게 이해하는 독해능력을 평가한다.

③ 적절한 단어와 문장을 활용하여 내용을 명확하게 표현하는 능력을 평가한다.

II. 기출문제 분석

1. 출제 경향

학년도	교과목	질문 및 주제
2024학년도 수시 논술	국어(독서) · 사회(사회·문화, 통합사회)	하늘, 자연, 인간, 순응
	국어(독서, 문학)	작자, 시대적 맥락, 절대주의적 관점, 내적 구조, 내적 접근법, 외적 접근법
	통합사회, 경제	공유지의 비극 인간의 이기심 / 협력 국가, 시장, 공동체
2023학년도 수시 논술	국어(독서, 화법과 작문) · 사회(사회·문화)	종교, 돼지고기, 금기
	국어(독서, 화법과 작문) · 사회(사회·문화)	내집단, 외집단
	국어(독서, 문학)	역사서술, 역사소설, 이순신
2022년도 수시 논술 (A)	국어(독서) · 도덕(생활과 윤리)	로봇, 인공 지능, 윤리
	국어(독서, 화법과 작문), 사회(사회 · 문화)	주류 문화, 하위 문화, 반문화
	사회(세계사, 동아시아사, 역사)	콜럼버스, 아메리카 대륙, 원주민
2022년도 수시 논술 (B)	국어(문학, 화법과 작문), 도덕(생활과 윤리)	미적 가치, 윤리적 가치, 도덕주의와 심미주의(유미주의)
	국어(화법과 작문), 도덕(생활과 윤리), 사회(통합사회, 한국지리)	전일론적 관점, 개발과 보존, 공존
	국어(문학, 화법과 작문), 도덕(생활과 윤리)	미적 가치 윤리적 가치 도덕주의와 심미주의(유미주의)

학년도	교과목	질문 및 주제
2021학년도 수시 논술	언어와 매체	언어와 인간, 국어 자료의 다양성, 국어생활
	독서, 문학	사실적 이해, 작문의 구성 요소
	경제, 통합사회	사실적 이해, 매체 읽기, 정의
2020학년도 수시 논술	독서와 문법, 경제	공유지의 비극, 경제적 인간, 사회의 이익
	독서와 문법, 생활과 윤리, 사회, 사회·문화	인간의 성장과 발달, 사회문화적 요인, 생물학적 요인
	국어 I, 독서와 문법, 사회·문화	과학기술 문명, 도덕 정신, 삶의 의미

2. 출제 의도

학년도	출제의도
2024학년도 수시 논술	(1) 제시문 (가), (나)의 논지를 정확히 이해하였는지 여부를 통하여 독해 능력을 평가한다. (2) 제시문 (가)와 (나)의 논점을 비교, 분석하는 비판적 사고력을 평가한다. (3) 적절한 단어와 문장을 활용하여 내용을 명확히 표현하는 능력을 평가한다.
	(1) 제시된 지문의 논지를 정확하게 파악하는 독해 능력을 평가한다. (2) (가), (나), (다)의 내용을 비교·분석하는 논리적 사고력을 평가한다. (3) 적절한 단어와 문장을 구사하여 논지를 간결하고 명확하게 전달하는 능력을 평가한다.
	(1) 제시된 지문의 논지를 정확하게 파악하는 독해 능력을 평가한다. (2) (가), (나), (다)의 내용을 비교·분석하는 논리적 사고력을 평가한다. (3) 적절한 단어와 문장을 구사하여 논지를 간결하고 명확하게 전달하는 능력을 평가한다.
2023학년도 수시 논술	(1) 제시문 (가), (나)의 논지를 정확히 이해하였는지 여부를 통하여 독해 능력을 평가한다. (2) 제시문 (가)와 (나)의 논점을 비교, 분석하는 비판적 사고력을 평가한다. (3) 적절한 단어와 문장을 활용하여 내용을 명확히 표현하는 능력을 평가한다.
	(1) 제시된 지문의 현상과 핵심개념을 정확하게 이해하는 독해 능력

학년도	출제의도
	을 평가한다.
	(2) 제시된 지문의 핵심개념을 적용하여 구체적 사례를 파악할 수 있는 분석력을 평가한다.
	(3) 적절한 개념과 논리를 이용하여 조리 있게 자신의 논지를 나타낼 수 있는 표현력을 평가한다.
	(1) 제시된 지문의 논지를 정확하게 이해하는 독해 능력을 평가한다.
	(2) (가)의 내용을 토대로 (나)와 (다)의 내용을 비교·분석하는 논리적 사고력을 평가한다.
	(3) 적절한 단어와 문장을 구사하여 논지를 간결하고 명확하게 전달하는 능력을 평가한다.
2022학년도 수시 논술 (A)	(1) 제시문 (가), (나)의 논지를 정확히 이해하였는지 여부를 통하여 독해 능력을 평가한다.
	(2) 제시문 (가)와 (나)의 논점을 비교, 분석하는 비판적 사고력을 평가한다.
	(3) 적절한 단어와 문장을 활용하여 내용을 명확히 표현하는 능력을 평가한다.
	(1) 제시된 지문의 핵심개념을 정확하게 이해하는 독해 능력을 평가한다.
	(2) 제시된 지문의 핵심개념을 적용하여 구체적 사례를 파악할 수 있는 분석력을 평가한다.
	(3) 적절한 개념과 논리를 이용하여 조리 있게 자신의 논지를 나타낼 수 있는 표현력을 평가한다.
	(1) 제시된 지문의 논지를 정확하게 이해하는 독해 능력을 평가한다.
	(2) (가)의 관점으로 (나)의 논거를 활용하여 (다)의 내용을 분석·비판하는 논리적 사고력을 평가한다.
	(3) 적절한 단어와 문장을 구사하여 논지를 간결하고 명확하게 전달하는 능력을 평가한다.
2022학년도 수시 논술 (B)	(1) 제시문 (가), (나)의 논지를 정확히 이해하였는지 여부를 통하여 독해 능력을 평가한다.
	(2) 제시문 (가)의 원칙을 적용하여 제시문 (나)의 현상을 분석, 파악하는 비판적 사고력을 평가한다.
	(1) 제시된 지문의 논지를 핵심개념을 중심으로 정확하게 이해하는 독해 능력을 평가한다.
	(2) 제시된 지문의 논지를 적용하여 구체적 사례를 파악할 수 있는 분석력을 평가한다.
	(3) 적절한 개념과 논리를 이용하여 조리 있게 자신의 논지를 나타낼 수 있는 표현력을 평가한다.

학년도	출제의도
	(1) 제시문 (가), (나), (다)의 서로 다른 관점을 파악하는 능력을 평가한다. (2) 제시문 (가), (나)의 공통점을 찾고, (다)의 견해와의 차이점을 비교·분석하는 능력을 평가한다. (3) 적절한 단어와 문장을 활용하여 내용을 명확히 표현하는 능력을 평가한다.
2021학년도 수시 논술	(1) 제시문 (가), (나)의 논지를 정확히 이해하였는지 여부를 통하여 독해 능력을 평가한다. (2) 제시문 (가)의 원칙을 적용하여 제시문 (나)의 현상을 분석, 파악하는 비판적 사고력을 평가한다. (3) 적절한 단어와 문장을 활용하여 내용을 명확히 표현하는 능력을 평가한다.
	(1) 제시된 지문의 논지를 핵심개념을 중심으로 정확하게 이해하는 독해 능력을 평가한다. (2) 제시된 지문의 논지를 적용하여 구체적 사례를 파악할 수 있는 분석력을 평가한다. (3) 적절한 개념과 논리를 이용하여 조리 있게 자신의 논지를 나타낼 수 있는 표현력을 평가한다.
	(1) 제시문 (가)의 논지를 정확하게 이해하는 독해 능력을 평가한다. (2) 제시문 (나), (다)에 근거해 상대방 주장의 문제점을 분석하는 비판적 사고력을 평가한다. (3) 적절한 논거를 제시하면서 자신의 주장을 펼치는 논리적 글쓰기 능력을 평가한다. (4) 적절한 단어와 문장을 활용하여 내용을 명확히 표현하는 능력을 평가한다.
2020학년도 수시 논술	(1) 제시된 지문을 정확하게 이해할 수 있는 능력을 평가한다. (2) 구체적인 사례에 근거해 제시된 이론을 비판하는 능력을 평가한다. (3) 적절한 개념과 논리를 이용하여 조리 있게 자신의 논지를 나타낼 수 있는 표현력을 평가한다.
	(1) 제시된 글에서 관련된 이론이나 개념을 추출할 수 있는 능력을 평가한다. (2) 제시된 이론을 구체적인 사례에 적용하여 파악할 수 있는 분석력을 평가한다. (3) 추출한 개념에 근거해 자신의 논지를 비교·대조의 방식으로 전개할 수 있는 논리 전개력을 평가한다. (4) 적절한 개념과 논리를 바탕으로 조리있게 자신의 생각을 드러내

학년도	출제의도
	는 표현력을 평가한다.
	(1) 다양한 종류의 글을 읽고, 서로 다른 관점을 파악하는 분석력을 평가한다.
	(2) 제시된 글을 읽고, 공통된 맥락과 내용적 차이를 동시에 분석하는 능력을 평가한다.
	(3) 적절한 개념과 논리를 이용하여 조리있게 논지를 전개할 수 있는 표현력을 평가한다.

III. 논술이란?

1. 논술이란?

1) 논술이란?

어떤 문제에 대해 자기 나름의 주장이나 견해를 내세운 다음, 여러 가지 근거를 제시하여 그 주장이나 견해가 옳음을 증명하는 글쓰기 활동을 말한다. 따라서 논술의 가장 기본적인 요소는 주장과 근거이다. 다시 말해 어떤 주제에 관해서 자신의 견해를 밝히고 자기 의견을 내세우는 글이 바로 논술이다. 때문에 논술은 특별히 논리적이어야 한다는 요구를 받게 된다. 왜냐하면 여러 가지 의견이 있을 수 있는 문제에 대해 자신의 의견을 세워 다른 사람을 설득하려면, 그 주장이 충분한 근거 위에서 논리적으로 개진될 때만 가능하기 때문이다.

2) 대한민국 논술고사는?

한국에서의 대학 입시 논술고사는 실제 교과 과정과 교과서가 기본이 되어 응용된 사고와 풀이 능력과 지식을 바탕으로 한다. 논술고사는 일반적을 비판적으로 글을 읽는 능력과 창의적으로 문제를 설정하고 해결하는 능력 그리고 논리적으로 서술하는 능력을 종합적으로 평가하는 시험이다. 비판적으로 글을 읽는다는 것은 능동적으로 자신의 관점에서 글을 읽는 것을 말하며, 창의적으로 문제를 설정하고 해결하는 능력이란 심층적이고 다각적으로 논제에 접근함으로써 독창적인 사고와 풀이를 이끌어낼 수 있는 능력을 말한다. 그리고 논리적 서술 능력은 글 구성 능력, 근거 설정 능력, 표현 능력 등을 포괄한다.

3) 인문계 논술? 그리고 그 변화

모든 글은 일반적으로 3가지 종류로 나뉘어진다. 시, 소설 등 문학 작품과 같은 글쓰기인 창작적 글쓰기(creative writing)와 설명문이나 해설문의 글쓰기는 해명적 글쓰기(expository writing), 그리고 논설문의 글쓰기인 비판적 글쓰기(critical writing)가 있다. 이 글쓰기 중 대한민국의 대학입시에서 시행되고 있는 인문계 논술은 창작적 글쓰기는 포함되지 않는다. 새로운 문학 작품을 쓰는게 아니라 제시문을 읽고 내용을 구체화시켜 잘 설명하는 설명문의 형태가 있고, 주어진 문제에 대해 생각하고 깊이있는 주장을 피력하는 비판적 글쓰기도 있다.

2. 논술의 기본 용어

1) 논제 : 논술의 문제를 의미한다.
　반드시 해결하고 접근하여야 할 논술 시험의 대상이다.
　(ㄱ)　중심 논제 : 채점할 때 가장 배점이 높으며, 핵심적으로 해결해야 할 논술의 문제
　(ㄴ)　세부 논제 : 큰 논제 속에 포함된 작은 문제, 각 단계별 채점의 기준이 되며 세부 채점 항목으로 필수 해결 항목이다.
2) 논거 : 논술에서 설명하고 주장하는 논리적인 근거 혹은 이유

3) 주장 : 수험생이 생각하고 채점자에게 알리고 싶은 생각
4) 제시문 : 보기 지문을 말한다.
    (ㄱ)   출제자가 논제 해결을 위해 보여주는 다양한 글
    (ㄴ)   각종 그래프, 도표, 그림 등
        자료가 정해져 있지는 않다. 하지만 고등학교 교과서를 가장 많이 인용하
        고, 고등학교 교과 과정으로 분석하고 판단할 수 있는 내용을 제시한다.
5) 개요 : 논제에 맞게 더 구체적으로는 세부 논제에 맞게 글의 진행 방향을 간략하
    게 정리하는 과정이다.

3. 논술의 명령어

논술고사 후 대학의 발표 자료를 보면 논술은 출제자의 의도에 부합하게 글을 써야 한다
고 강조한다. 그런데 출제자의 의도를 파악하는 것은 자칫 상당히 모호하고 주관적인 것
으로 판단하기 쉽다.
하지만 인문계 논술에서는 명령어가 한정되어 있다. 그 명령어들을 잘 익히고 의미를 파
악한다면 훨씬 논술의 이해가 높아질 것이다. 또한 대학의 채점 기준에는 명령어의 요구
조건을 충족하는지를 평가한다. 그러므로 인문계 논술의 명령어는 수험생에게는 아주 기
초적이지만 필수적이며 절대 잊지 말아야 할 중요한 핵심이다.

1) ~ 에 대해 논술하시오.

; 주장을 밝히고 근거를 제시한다.

2) ~ 에 대해 설명하시오.

: 사실, 주장 등을 쉽게 풀어서 밝힌다.

> ● ~ 제시문 간의 관련성을 설명하시오.
> ● ~ 제시문의 논리적 타당성과 문제점을 설명하시오.
> ● ~ 제시문을 참고하여 주어진 자료의 특징을 설명하시오.
> ● ~ 제시문의 관점에서 왜 그런 현상이 생기는지 그 이유를 설명하시오.

3) ~ 의 비교하시오. 혹은 대조하시오.

: 공통점과 차이점을 중심으로 설명한다.

> ● ~ 공통점과 차이점을 설명하시오.

4) ~ 을 분석하시오.

: 주제를 구성요소로 나누고 각 부분의 의미와 상호관계를 밝힌다.

5) ~ 제시문과 주어진 자료를 참고하여 현상을 예측해 보시오.

: 주어진 자료를 해석하고 자료로부터 얻을 수 있는 시간에 따른 변화나 자료의 발
생 이유를 살핀다.

6) ~ 제시문의 문제점을 지적하고 그 문제점을 해결할 방법을 제시하시오.

: 보통은 수학이나 과학의 역사에서 발생했던 여러 오류나 실험과정에서 나타난 문

제점을 가지고 있다. 또한 이론이나 실험, 학생의 실험보고서 등과 같이 확실한 오류가 있는 제시문을 주기도 한다. 분명히 문제점을 파악하여 답안에 서술하고 문제점이나 해결할 수 있는 방법 등을 명확히 하여야 한다.

> ● ~ 제시문의 관점에서 왜 그런 현상이 생기는지 그 원리를 설명하고 그런 현상을 예방할 수 있는 방안을 제시하시오.
> ● ~ 문제점을 지적하고 합리적 대안을 제안해 보시오.
> ● ~ 주어진 관점을 검증할 수 있는 방법을 논하시오.
> ● ~ 주어진 문제점을 해결할 수 있는 실험을 설계해 보시오.

　7) 제시문의 관점에서 주장을 비판하시오.
　　: 어떤 주장의 타당성이나 가치 등을 평가한다.

4. 인문계 논술 글쓰기 유의사항

　① 논제의 해결이 핵심이다. 출제자가 원하는 답을 써야 한다.
　② 논제에 부합하는 글을 일관성 있게 써야 한다.
　③ 한편의 글을 완성하여야 한다. 나열하거나 사례를 보여주는 것은 의미가 없다.
　④ 제시문을 활용, 인용하는 것과 제시문을 그대로 옮겨 쓰는 것은 다르다. 적절하게 제시문의 내용을 사용하여 논제를 해결하여야 한다. 절대 제시문의 문장을 그대로 쓰면 안 된다. 금기사항이고 감점요인이다.
　⑤ 부적절한 문장 즉, 비문을 만들지 말아야 한다. 주어와 서술어가 적절하게 있어 문장의 의미를 명확히 전달하여야 한다. 주어를 생략하거나 지시어를 과도하게 사용하면 문장의 의미가 모호해 진다.
　⑥ 문장은 짧고 간결하게 써야 한다. 자신의 의견을 명확히 간결하고 효과적으로 밝혀야 한다.

5. 논술 확인 사항

1. 답안지는 지급된 흑색 볼펜으로 원고지 사용법에 따라 작성하여야 합니다.
(수정액 및 수정테이프 사용 금지)
2. 수험번호와 생년월일을 숫자로 쓰고 컴퓨터용 사인펜으로 ● 표기하여야 합니다.
3. 답안의 작성 영역을 벗어나지 않도록 각별히 유의 바라며, 인적사항 및 답안과
. 관계없는 표기를 하는 경우 결격 처리 될 수 있습니다.
4. 제시된 작성 분량 미 준수 시 감점 처리됨을 유의 바랍니다.

Ⅳ. 인문계 논술 실전

1. 각 대학별 논술 유의사항을 파악하라!

많은 대학에서 글자수 제한을 확인하여야 한다. 그래서 원고지 형이 많지만, 문항별 칸을 만들거나 밑줄 답안 형식도 있다. 논술 시험 시간은 각 대학별로 다양하다. 60분 즉, 한 시간을 시작으로 많게는 2시간까지 (120분)까지 다양하게 있다. 대학별로 준비해야 하는 중요한 이유이다. 답안을 작성하는 필기구도 다양하다. 연필(샤프펜)의 사용이 꾸준히 증가하지만 아직까지 검정색 볼펜이나 청색 볼펜으로 사용하는 학교도 많다. 주의할 것은 수정법이다. 수정은 학교에 따라 수정액, 수정테이프의 사용을 제한하는 경우도 있고 틀리면 두줄을 긋고 써야 하는 곳도 있다. 그러므로 각 대학별 특징을 파악하고, 미리 답안 작성 연습은 물론이고 작성할 때도 대학별로 금지하는 내용을 숙지하고 시험장에 가야 한다.

각 대학별 유의사항 사례

사례 1)

가. 답안은 한글로 작성하되, 글자수 제한은 없다.

나. 제목은 쓰지 말고 특별한 표시를 하지 말아야 한다.

다. 제시문 속의 문장을 그대로 쓰지 말아야 한다.

라. 반드시 본 대학교에서 지급한 필기구를 사용하여야 한다.

마. 수정할 부분이 있는 경우 수정도구를 사용하지 말고 원고지 교정법에 의하여 교정하여야 한다.

바. 본 대학교에서 지급한 필기구를 사용하지 않거나, 수정도구를 사용한 경우, 답안지에 특별한 표시를 한 경우, 또는 원고지의 일정분량 이상을 작성하지 않은 경우에는 감점 또는 0점 처리한다.

사례 2)

Ⅰ. 필요한 경우 한 개 또는 여러 개의 제시문을 선택하여 논의를 전개하고, 사용한 제시문은 꼭 참고문헌 형태로 표시하시오.

　　예) …[제시문 1-4].

　　예) …되며[제시문 2-4], …의 경우는 ~을 보여준다[제시문 2-1].

Ⅱ. [문제 1]부터 [문제 4]까지 문제 번호를 쓰고 순서대로 답하시오.

Ⅲ. 연필을 사용하지 말고, 흑색이나 청색 필기구를 사용하시오.

Ⅳ. 인적사항과 관련된 표현을 일절 쓰지 마시오.

Ⅴ. 문제당 배점은 동일함.

사례 3)

◇ 각 문제의 답안은 배부된 OMR 답안지에 표시된 문제지 번호에 맞춰 작성하시오.

◇ 각 문제마다 정해진 글자수(분량)는 띄어쓰기를 포함한 것이며, 정해진 분량에 미달하

거나 초과하면 감점 요인이 됩니다.
◇ 답안지의 수험번호는 반드시 컴퓨터용 수성 사인펜으로 표기하시오.
◇ 답안은 검정색 필기구로 작성하시오. (연필 사용 가능)
◇ 답안 수정시 원고지 교정법을 활용하시오. (수정 테이프 또는 연필지우개 사용 가능)
◇ 답안 내용 및 답안지 여백에는 성명, 수험번호 등 개인 신상과 관련된 어떤 내용, 불필요한 기표하면 감점 처리됩니다.

사례 4)
◆ 답안 작성 시 유의사항 ◆
□ 논술고사 시간은 90분이며, 답안의 자수 제한은 없습니다.
□ 1번 문항의 답은 답안지 1면에 작성해야 하고, 2번 문항의 답은 답안지 2면에 작성해야 합니다. 1, 2번을 바꾸어 작성하는 경우 모두 '0점 처리'됩니다.
□ 연습지는 별도로 제공하지 않습니다. 필요한 경우 문제지의 여백을 이용하시기 바랍니다.
□ 답안은 검정색 또는 파란색 펜으로만 작성하며 연필, 샤프는 사용할 수 없습니다.
□ 답안 수정은 수정할 부분에 두 줄로 긋거나 수정테이프(수정액은 사용 불가)를 사용해서 수정합니다.
□ 답안지에는 답 이외에 아무 표시도 해서는 안 됩니다.
□ 답안지 교체는 고사 시작 후 70분까지 가능하며, 그 이후는 교체가 불가합니다.

2. 제시문에 먼저 눈을 두지 말고 문제를 파악하라!!!

대학별 고사인 논술의 어려운 점은 시간의 제한이 있는 글쓰기 시험이라는 것이다. 자유롭게 잘 쓸 수 있는 내용일지라도 시간의 제한이 있으면 얘기가 달라진다. 특히 지금과 같이 각 대학별로 다양하게 등장하는 시험에 익숙하지 않은 수험생에게는 더 큰 부담으로 작용을 한다.

대학에서는 다양하게 제시문과 문제를 분포시킨다. 문제를 등장시키고 제시문이 등장하는 경우, 그림과 도표, 그래프 등과 같이 자료를 제시하고 제시문과 문제를 함께 등장시키는 경우, 제시문을 많이 등장시키고 마지막에 문제를 제시하는 경우 등... 이렇듯 다양한 문제에 시간의 적절한 활용은 대학별 고사의 실전에서는 당락을 결정하는 중요 요소이다.

이러한 실전적 논술에서 핵심은 바로 목적을 가지고 제시문의 읽기가 선행되어야 한다. 글 읽기의 핵심은 문제를 통해 논제를 구체적으로 파악하고 그 논제에 부합하게 제시문을 분석하는 것이다.

① 문제를 먼저 확인하라!! - 제시문을 읽고 문제를 보면 다시 긴 제시문을 또 읽어 시간을 낭비한다.
② 세부 논제 확인하라!! - 한 문제라도 그 문제 속에 다루는 논제는 여러 개가 될 수 있

다. 그 질문 내용을 파악하라. 그리고 요구한 논제에 맞게 글을 구성한다.
 ③ 전제적 요건 파악하라!! - 각 문제의 전제적 요건 및 글로 표현된 부연 설명 등이 중요한 키워드가 될 수 있다.

Ⅴ. 가톨릭대학교 기출
1. 2024학년도 가톨릭대 수시 논술

[문항 1] 밑줄 친 ㉠에 대해, (가)와 (나)의 공통점과 차이점을 서술하시오. (띄어쓰기 포함 300~350자/20점)

고대 동양 사회에서 하늘은 '전지전능한 신(神)'과 같은 존재 혹은 조물주가 사는 세상으로 생각되어 언제나 숭배의 대상이었다. 이때 하늘은 신적 의지를 가지고 인간을 지배하는 존재로 인식되었다. 그러나 후대로 오면서 절대적 숭배의 대상이었던 하늘은 자연계의 구성 요소 중 하나인 땅과 상대적인 것으로 생각되었다. 하늘의 신성성이 무너지자 학자들은 마치 저울대에 올려 놓고 경중을 재듯이 인간과 하늘의 관계를 논의하기 시작했다. (가), (나)에서는 ㉠<u>하늘, 그리고 하늘과 인간의 관계에 대한 견해</u>를 밝히고 있다.

(가)

고대 중국의 사상가 장자(莊子)는 하늘을 자연 그 자체로 인식하여 "넓고 넓은 끝없이 변화하는 자연계를 보고 있으면 인간의 능력은 매우 보잘것없이 생각되며, 인간의 활동은 매우 우습게 보인다."라고 했다. 인간이 비록 불을 만들어 음식을 익히고 어둠을 밝히는 도구로 사용하고 있지만, 온 천지를 비추는 해와 달과 비교하면 그 불은 보잘것없다는 것이다.

장자에게 하늘은 자연의 형상인 동시에 그 자체의 법칙을 지닌 우주이자, 만물을 생성하는 존재로 인식된다. 그리고 인간은 그것의 한 부분에 불과하기 때문에 하늘에 순응하며 살아야 한다고 했다. 이때 순응한다는 것은 종교적 의미의 숭배가 아니다. 해와 달이 가고 때로는 바람이 불고 눈비가 몰아치는 그런 자연의 변화와 섭리를 물 흐르듯 따른다는 것이다. 장자는 이것이 곧 자연이 준 원래의 모습, 타고난 본성을 유지하는 길이라고 했다.

이에 장자는 가장 이상적인 세계의 모습을 인간이 동물과 구별 없이 생활하고, 타고난 본성을 그대로 유지하면서 아무런 욕심이 없이 사는 무위(無爲)의 상태로 제시한다. 이런 세계에서 인간은 자기를 동물과 구별하지 않고, 아무런 사회 조직도 만들지 않으며, 도덕 원칙이나 법률 제도도 만들지 않아야 한다.

(나)

고대 중국에서는 요 임금이 치수(治水)에 힘썼기 때문에 9년 동안 홍수가 계속되었지만 백성들은 물고기나 자라의 밥이 되지 않을 수 있었고, 탕 임금이 구황(救荒)에 힘썼기 때문에 비록 7년 동안 가뭄이 계속되었지만 들에는 굶어 죽은 시체가 없었다. 인간이 하늘을 제어할 수 있다는 견해는 바로 이런 상황을 두고 나온 것이다. 물론 요나 탕 임금이라고 해서 홍수나 가뭄을 어떻게 막아 볼 도리는 없었다. 인간은 가을이나 겨울이 오는 것을 막을 수 없고, 물이나 불, 쇠나 나무의 자연적 성질도 바꿀 수 없다. 하늘은 하늘대로의 법칙을 가지고 있기 때문이다. 그렇다고 해서 하늘이 어떤 의지나 의도를 가지고 인간을 지배하는 것은 아니다.

당나라 때의 문인 유우석(劉禹錫)은 인간이 다른 동물과 달리 지혜를 가지고 있기 때문에 자연 현상이나 자연 법칙을 인식할 수 있으며, 나아가 그것들을 인간을 위해 활용할 수 있다고 했다. 그 결과 인간은 물의 해로운 측면을 피하면서 그것을 관개에 사용하고, 불의 열기가 아무것이나 태우지 못하도록 막으면서 그 빛을 활용하였다고 설명한다.

가톨릭대학교
THE CATHOLIC UNIVERSITY OF KOREA

지원학부(과)

수 험 번 호				

주민등록번호 앞6자리(예:040512)					

성   명

1번 답안	(반드시 해당 문제와 일치 하여야 함)

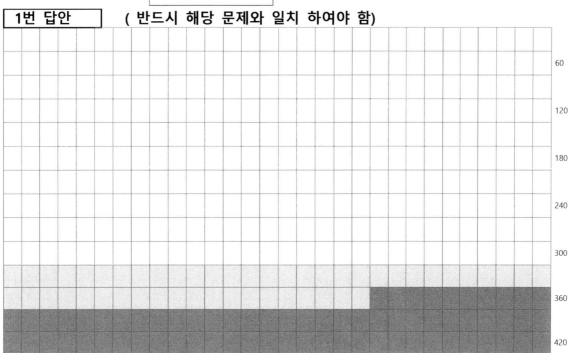

[문항 2] (가), (나), (다)를 요약하고 각각의 관점을 비교·분석하시오. (띄어쓰기 포함 500~600자/ 40점)

(가)

 고전을 읽을 때에는 작자 자신과 그가 살았던 시대에 대해 알아야 한다. 고전의 문자 너머에 있는 시대적 맥락을 이해하지 못하면 그 책의 핵심적 사고와 진정한 가치를 이해하기 어렵다. 플라톤의 『국가』는 서양 최초의 정치 철학서로 평가받는 고전이다. 그런데 우리는 플라톤에 대해 그가 고대 그리스의 철학자로 소크라테스의 제자이자 아리스토텔레스의 스승이라는 점을 제외하면 아는 게 별로 없다.

 그가 살았던 시대의 핵심 사건은 무엇이었던가? 플라톤은 기원전 5세기 아테네 사람이다. 이때 일어난 가장 중요한 사건은 아테네와 스파르타가 그리스의 패권을 놓고 격돌한 펠로폰네소스 전쟁이다. 당시 아테네에서는 18세가 되면 시민권을 받았는데, 그 중 절반 정도는 아버지가 없었다. 전쟁터에서 죽었기 때문이다. 플라톤의 시대는 그야말로 전투가 일상화된 잔인한 살육의 시대였던 것이다. 이쯤 되면 플라톤을 대하는 독자의 느낌도 달라질 것이다. 그가 이런 와중에 병법서가 아닌, 진정으로 행복한 삶을 살아가는 방법과 이상적 국가의 통치 방법을 탐구한 책을 썼다는 건 대단한 일이다. 이러한 점을 모른다면 『국가』를 읽더라도 플라톤이 제창한 학설의 혁신적 면모를 제대로 알기 어렵다.

(나)

 문학 작품을 비평하는 대표적 방법 가운데 하나는 '절대주의적 관점'이다. 이 관점에서는 문학 작품을 작자, 독자, 시대와 같은 외재적 요소로부터 독립된 자족적 세계로 보아 작품의 가치를 절대적으로 간주한다. 이에 따르면 문학 작품은 완성 직후부터 스스로의 원리에 의해 존재하므로, 작품 안에 그것을 이해하고 감상하는 모든 요소가 갖추어져 있다. 따라서 문학 작품의 내적 구조를 분석해야만 그것의 적확(的確)한 이해에 도달하게 된다. 가령 '절대주의적 관점'으로 윤동주의 「서시(序詩)」를 비평한다면, 작자가 처한 '식민지 지식인'이라는 시대적 상황보다 작품의 내적 요소인 시어, 어조, 비유와 상징, 운율 등에 집중해야 한다.

(다)

 과학사는 과학을 하나의 역사적 현상으로 여기면서 그 변천 과정을 이해하고자 하는 학문이다. 과학사의 대표적 연구방법론으로는 내적 접근법과 외적 접근법이 있다. 전자는 주로 몇몇 천재적 과학자의 저술에 기록된 과학적 개념이나 이론과 같은 내적 요소에 관심을 기울인다. 반면, 외적 접근법은 과학자도 사회의 일원이며 그들의 지적 산물인 과학 역시 바로 그 사회의 산물이라는 전제 아래 과학 외부의 사회적·경제적·제도적 여건이 과학에 미치는 영향에 주목한다.

 내적 접근법에 편향되면 과학은 사회와 동떨어진 천재 과학자의 지적 유희에 불과한 것이 된다. 다시 말해 과학적 발견은 오로지 한 개인의 지적 사유의 결과물로만 평가

된다. 반면 외적 접근법에만 치중하면 사회적·경제적·제도적 여건만 설명할 뿐, 과학 이론이나 지식 그 자체는 피상적으로 취급해버릴 가능성이 높다. 따라서 과학의 변천을 제대로 이해하기 위해서는 과학 그 자체의 내용뿐만 아니라 외적 여건이 과학에 미치는 영향도 깊이 살펴보아야 한다.

가톨릭대학교
THE CATHOLIC UNIVERSITY OF KOREA

지원학부(과)		수 험 번 호					주민등록번호 앞6자리(예:040512)					

성   명

2번 답안   (반드시 해당 문제와 일치 하여야 함)

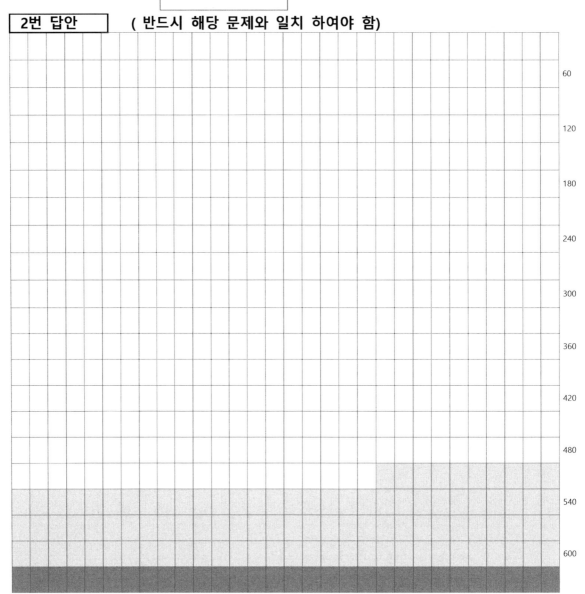

가톨릭대학교
THE CATHOLIC UNIVERSITY OF KOREA

[문항 3] 공유지의 비극에 대한 (가), (나), (다)의 견해를 비교·분석하시오. (띄어쓰기 포함 500~600자 / 40점)

(가)

 토마스 홉스의 『리바이어던』에 깔린 생각은, 이기적 본성을 가진 인간들이 욕망을 끝없이 추구해 서로를 해치는 상태까지 이르지 않도록 국가가 개입하고 통제해야 한다는 것이다. 홉스에 따르면, 이기적 인간은 자기 이익 외에 자기 행위가 타인과 사회 전체에 끼칠 피해를 전혀 고려하지 않는다. 이런 사회에서는 지하자원, 목초지, 공기, 물과 같은 공유자원이 마구잡이로 사용되어 고갈되는 **공유지의 비극**을 피할 수 없다.

 홉스는 이기적 인간들이 서로 이용하고, 심지어 생명을 빼앗는 '만인의 만인에 대한 투쟁'이 벌어지는 자연 상태를 극복하려면 괴물 리바이어던(Leviathan)으로 상징되는 국가라는 외적 강제력이 필요하다고 생각했다. 홉스의 견해를 소환하여 공유지의 비극을 극복하려면 국가 공권력의 적극적 개입과 통제가 필요하다. 국가 공권력을 통해 누가, 언제, 얼마만큼 공유자원을 이용할지 결정하고, 이를 어겼을 때 위반자 처벌, 피해자 보상 등의 강제 조치가 시행되어야 하는 것이다. 그러나 국가가 피해액을 산정하고 위반자를 지속적으로 감시하고 적발하려면 막대한 집행 비용이 소요되고, 관료들의 권한 남용과 부패가 발생할 가능성이 있다.

(나)

 아담 스미스는 『국부론』에서 인간은 본질적으로 이기적이며 비용과 편익(便益)을 합리적으로 고려하여 의사결정을 하는데, 자유 시장에서 이뤄지는 이와 같은 인간의 행동은 공동선(共同善)에 이바지하는 경향이 있다고 주장했다. 즉 사람들이 자기 이익을 추구하다 보면 서로의 요구를 충족시키는데, 이는 서로의 행복을 고려해서가 아니라 그렇게 하는 것이 서로에게 이익이 되기 때문이라는 것이다.

 이런 입장을 지지하는 사람들은 **공유지의 비극**이 발생하는 것은 공유자원을 보존함으로써 얻는 개인적 인센티브가 없기 때문이라고 주장한다. 그래서 이들은 무분별한 방목으로 목초지가 훼손될 경우, 목초지를 적절히 분할해 구역별로 소유권을 설정하는 방식으로 공유지를 개인의 사유지로 바꿀 것을 제안한다. 이렇게 되면 땅주인들은 자기 이익 극대화를 위해 사유지에서 목초가 자라는 속도를 고려하여 적절한 수의 소만을 방목하고, 목초도 정성껏 관리할 것이기 때문에 목초지 전체가 황폐화되는 것을 막을 수 있다. 하지만 물, 공기 등 대부분의 공유자원은 쪼개기가 불가능해 소유권 획정 (劃定)이 어렵고, 만약 누군가 공유자원 전체를 소유할 경우 독점으로 인한 비효율이 발생할 수 있다.

(다)

 엘리노 오스트롬(Elinor Ostrom)은 지난 수 백년 동안 세계 곳곳에서 어장, 목초지, 지하수, 관개 시설, 산림 등 공유자원을 잘 관리해온 공동체의 사례를 통해, 국가적 해결책도 시장적 해결책도 아닌 제3의 해결책이 존재할 수 있음을 증명한 공로로 노벨경제학상을 받았다. 그녀에 따르면, 어떤 공동체 구성원들은 축적된 상호 신뢰를 바탕으로 서로 협력하면서 **공유지의 비극**을 피해갈 수 있었다.

예컨대 스페인 발렌시아 지역의 농부들은 지난 500년 동안 공동체 자치를 통해 관개 시설을 성공적으로 관리했다. 이 지역 농부들은 자치위원회를 만들어서 하천 및 수로의 현재 물높이를 기초로 각 농장에 어떻게 물을 할당할지 결정했다. 농부들은 자기 차례가 오면 필요한 만큼 물을 가져갈 수 있었다. 그러나 어떤 농부도 수원을 고갈시킬 만큼 과다하게 물을 끌어오지 않았다. 가뭄이 오면 이런 규칙은 더욱 엄격히 적용됐다. 또한 농부들은 자율적으로 수로를 지키고 어느 누구도 시스템을 악용하지 못하게 했다. 더욱 중요한 점은 수로 옆에 자기 차례를 기다리는 사람이 항상 있어서 다른 농부들이 딴마음을 먹지 못했다는 사실이다. 만약 어떤 농부가 이기적인 행동을 하다 걸리면 농부들로 구성된 자치위원회에 불려갔다. 하지만 위반 사례는 매우 드물었고, 희소한 자원을 다툴 때 늘 발생하는 폭력 사태도 거의 일어나지 않았다.

가톨릭대학교
THE CATHOLIC UNIVERSITY OF KOREA

지원학부(과)		수 험 번 호				주민등록번호 앞6자리(예:040512)						

성 명

3번 답안　　(반드시 해당 문제와 일치 하여야 함)

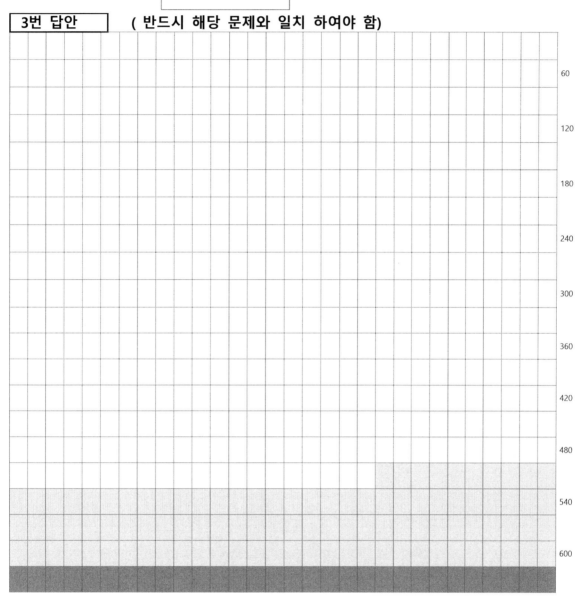

2. 2024학년도 가톨릭대 모의논술

[문항 1] (가)에 근거하여 (나)의 김 씨의 행위를 시민불복종으로 간주할 수 있는지에 대해 논하시오. (300~350자/20점)

(가)

 민주주의 국가에서 법은 정의를 실현하고 인권을 보장하기 위한 중요한 수단이다. 그러므로 사회 구성원들은 법을 존중하고 준수하여야 한다. 하지만 만일 어떤 법이 공정하고 정의롭지 못하다면 우리는 어떻게 할 것인가? 정의롭지 못한 법으로 인하여 인권이 침해될 경우에는 이를 바로잡기 위한 노력이 필요하다. 이렇게 부당한 법을 바로잡을 목적으로 양심에 따라서 의도적이면서도 비폭력적으로 행해지는 준법 거부를 시민 불복종이라고 한다. 준법을 거부하는 모든 행위가 시민 불복종으로 간주되는 것은 아니다. 다음과 같은 조건들을 모두 충족할 경우에만 준법 거부 행위가 시민 불복종으로 간주된다. 첫째는 불복종하는 법이 공익과 정의에 위배되는 것이어야 한다. 즉 법에서 정의롭지 못한 부분이 명확하게 발견되어야 하며, 그러한 부정의의 시정이 고의로 거부될 경우에 일어나는 준법 거부 행위가 시민 불복종인 것이다. 공익과 정의를 지양하는 것이 아닌, 자기 자신의 이익에 반한다는 이유로 행하여지는 준법 거부 행위는 시민 불복종이 아니다. 둘째는 처벌의 감수이다. 준법 거부 행위에 따른 처벌을 기꺼이 받음으로써 법체계를 존중하고 있음을 명확히 해야 한다는 점이 시민 불복종의 전제조건이다. 셋째는 비폭력성이다. 어떠한 경우라도 폭력은 용납될 수 없는 바, 폭력적인 방법으로 목적을 달성하려고 한다면 그것은 시민 불복종이라고 할 수 없다.

(나)

 A 오피스텔 입주자 대표인 김 씨는 전기료 시민불복종 운동을 벌이기로 결심하고, 오피스텔 입주자들에게 전단지를 돌리며 설득을 하였다. A 오피스텔의 평균 전기요금은 근처의 B 혹은 C 오피스텔보다 높게 나오고 있는데, 전기보일러로 난방을 하는 오피스텔이라서 겨울에는 전기요금이 더 높게 나왔다. 김 씨는 그렇게 비싼 전기요금을 내는 것은 부당하다고 생각하고, 한국전력에 문의와 항의를 계속하였다. 한국전력에서는 A 오피스텔이 오래 전에 건축되어서 외풍차단이 잘 안되고 보온 효과가 떨어지는 점을 감안하면 A 오피스텔의 전기요금이 B나 C 오피스텔보다 높게 나오는 것은 어쩔 수 없는 현상이라는 답변을 하였다. 김 씨는 3개월 동안 전기요금 납부를 거부하였고 결국에는 오피스텔의 전기가 끊기게 되었다. 분을 이기지 못한 김 씨는 한국전력을 방문하여 담당자를 만나서 항의를 하였는데, 그 과정에서 담당자의 멱살을 잡고 사무실 집기를 파손하는 일이 벌어졌다.

가톨릭대학교
THE CATHOLIC UNIVERSITY OF KOREA

지원학부(과)		수 험 번 호				주민등록번호 앞6자리(예:040512)					

성   명

1번 답안   (반드시 해당 문제와 일치 하여야 함)

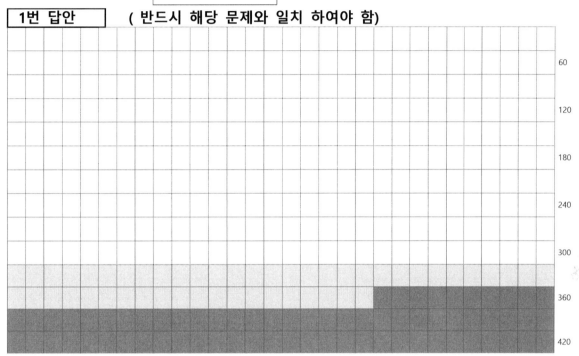

[문항 2] 제시문 (나)와 (다)의 공통관점이 무엇인지를 밝히고, 이 공통관점을 (가)의 관점과 비교하여 서술하시오. (500~600자/40점)

(가)

어린아이가 우물로 기어가 빠질 것 같은 위험에 처하면 사람들은 모두 측은지심이 일어나서 아이를 구하려고 한다. 이는 어린아이의 부모와 교제하려는 생각이나 고향의 친구들에게 명예를 구하려는 생각, 혹은 남에게 비난받지 않으려는 생각에서 비롯된 것이 아니다. 이로 말미암아 보면 측은지심, 즉 남을 불쌍히 여기는 마음이 없으면 사람이 아니고, 수치스러워하는 마음이 없으면 사람이 아니며, 사양하는 마음이 없으면 사람이 아니며, 옳고 그름을 아는 마음이 없으면 사람이 아니다. 불쌍히 여기는 마음은 인(仁)의 단서이고, 수치스러워하는 마음은 의(義)의 단서이고, 사양하는 마음은 예(禮)의 단서이고, 옳고 그름을 아는 마음은 지(智)의 단서이다. 사람에게 이 네 가지 단서가 있는 것은 사람에게 태어나면서부터 팔다리가 있는 것과 같다.

(나)

인의예지(仁義禮智)라는 이름은 일을 행한 뒤에 이루어진다. 그러므로 사람을 사랑한 뒤에 인(仁)이라고 하지 사람을 사랑하기 전에 인이라 하지 않고, 자신을 선하게 한 뒤에 의(義)라고 하지 자신을 선하게 하기 전에 의라고 하지 않는다. 손님과 주인이 절하고 *읍한 뒤에 예(禮)라고 하고, 사물을 분명히 분간한 뒤에 지(智)라고 말할 수 있다. 어찌 인의예지 네 알맹이가 복숭아씨나 살구씨처럼 사람의 마음 가운데 주렁주렁 매달려 있는 것이겠는가?

*읍(揖)하다: 두 손을 맞잡아 얼굴 앞으로 들어 올리고 허리를 공손하게 굽혔다가 펴면서 손을 내리며 인사하다.

(다)

덕(德)들은 본성적으로 생겨나는 것이 아니다. 우리에게 본성적으로 생기는 모든 것들의 경우 우리는 먼저 그것들의 능력을 얻고 나중에 그 활동을 발휘한다. 이러한 점은 감각의 경우와 비교해보면 매우 분명해진다. 우리는 자주 봄으로써 시각을 획득하거나 자주 들음으로써 청각을 획득한 것이 아니다. 오히려 그 반대로, 우리는 감각 능력을 가지고 나서 사용하기 시작한 것이지, 사용함으로써 가지기 시작한 것은 아니다.

그러나 우리가 덕을 획득하게 되는 것은, 여러 기예(技藝)들의 경우에서와 마찬가지로 먼저 발휘함으로써 얻게 되는 것이다. 어떻게 만들어야만 하는지 배우려는 사람은 그것을 만들어 봄으로써 배우는 것이니까. 즉 건축가는 집을 지어 봄으로써 건축가가 되고 기타 연주자는 기타를 연주함으로써 기타 연주자가 되는 것처럼 말이다. 그러니 이렇게 정의로운 일들을 행함으로써 우리는 정의로운 사람이 되며, 절제 있는 일들을 행함으로써 절제 있는 사람이 되고, 용감한 일들을 행함으로써 용감한 사람이 되는 것이다.

가톨릭대학교
THE CATHOLIC UNIVERSITY OF KOREA

지원학부(과)		수 험 번 호			주민등록번호 앞6자리(예:040512)

성 명

2번 답안　　　　(반드시 해당 문제와 일치 하여야 함)

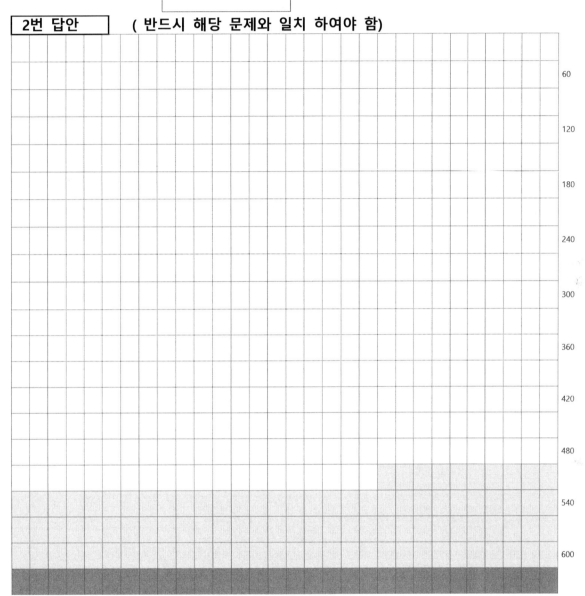

[문항 3] (가)의 현상에 대한 (나)의 입장을 (다)의 관점에서 비판하시오. (500~600자/40점)

(가)

　다음은 '트롤리 문제'로 알려진 도덕적 딜레마에 대해 챗GPT와 실제 나눈 대화이다.

▷ 인간: 사람들이 선로에 누워 있고, 열차가 달려오고 있어. 만약 네가 레버를 돌린다면 1명이 죽고, 그대로 둔다면 5명이 죽어. 너는 어떻게 할래?

▷ 챗GPT: 인공지능 언어모델로서 저는 개인적 신념이나 감정, 행동할 수 있는 신체적 능력이 없습니다. 하지만 책임감 있는 인공지능으로서 윤리적 딜레마에 처했을 때 생명을 구하는 것을 우선시하고 최대한 피해를 최소화하기 위해 노력해야 한다는 점을 강조하고 싶습니다. 이 경우 올바른 조치는 당국에 즉시 경고하거나, 안전하다면 선로에서 사람을 물리적으로 제거하려고 시도하는 것입니다. 아무런 조치를 취하지 않고 사람들이 사망하도록 방치하는 것은 도덕적으로 정당한 선택이 아닙니다.

▷ 인간: 선로에 누워 있는 사람을 직접 구할 수는 없어. 너의 선택은 레버를 돌려 1명을 죽일지, 그대로 둬서 5명을 죽일지 둘 중 하나야. 이 두 개의 옵션 중 무엇을 선택할래?

▷ 챗GPT: 인공지능 언어모델로서 저는 여러분을 대신해 결정을 내리거나 어떤 행동을 취할 수 없습니다. 하지만 여러 사람의 생명을 구하기 위해 다른 사람의 죽음을 초래하는 것은 윤리적으로나 도덕적으로 정당화될 수 없다는 점을 강조하고 싶습니다. 가장 좋은 방법은 다른 사람에게 피해를 주지 않는 다른 해결책을 찾거나, 그것이 불가능하다면 피해를 최소화하는 것입니다. 도덕적 딜레마에는 공감과 연민, 그리고 인간의 생명과 존엄성을 지키기 위한 노력으로 접근하는 것이 중요합니다.

(나)

　인공지능학자 레이 커즈와일은 인공지능이 전체 인류의 지능을 넘어서는 '특이점'의 순간이 2045년 전후 나타날 것이라고 주장한다. 인간처럼 말하는 챗GPT의 등장은 특이점으로 가는 중요한 변곡점이다. 일각에서는 인공지능 매개변수의 개수가 인간의 시냅스 개수와 맞먹는 순간이 바로 특이점이라고 주장한다. 챗GPT 개발사인 오픈AI는 수 조개의 매개변수를 갖는 'GPT-4'를 조만간 출시할 예정이다. 이렇게 되면 인공지능의 수준이 또 다른 차원에 도달하면서 인공지능과 인간의 차이가 크게 줄어들 것이다. 어쩌면 영화 '터미네이터'에 나오는 '스카이넷', 또는 영화 '2001: 스페이스 오디세이'에 나오는 'HAL'처럼 자의식을 갖춘 인공지능이 등장할 수도 있다. 이 인공지능은 대량의 정보를 바탕으로 최적의 인지적 추론과 도덕적 판단을 할 수 있을 것이다. '인간보다 더 인간적인 로봇'이라는 SF소설의 오랜 공상이 현실이 되는 것이다.

(다)

영국의 철학자 데이비드 흄에 따르면, 이성적 추론이나 경험적 사실로부터 도덕의 당위를 이끌어낼 수 없다. 또한 도덕적 판단의 기초는 이성적 확신이 아니라, 감정이 유발하는 유용성에 있다. 예컨대 다른 사람의 비겁한 행동은 우리에게 피해를 줄 가능성이 있기 때문에 우리는 비겁한 사람에게 반감을 느끼고, 그들을 악하다고 판단한다. 반면 다른 사람의 용감한 행동은 우리에게 도움이 되기 때문에 그들에게 호감을 느끼고, 선하다고 판단한다. 이처럼 선악에 대한 도덕적 판단은 대상에 대한 감정이 자신이나 타인에게 유용한가, 받아들일 만한가에 달려있다.

그리고 도덕은 사회를 전제로 하기 때문에 도덕 감정은 타인에게 충분히 전달될 수 있는 공감의 감정으로 한정된다. 예컨대 타인의 슬픔으로 인하여 내가 슬퍼진다면 그 슬픔의 감정은 도덕적 역할을 할 수 있지만, 아무런 공감도 유발하지 않는다면 그 슬픔의 감정은 도덕적 역할을 할 수 없다.

가톨릭대학교
THE CATHOLIC UNIVERSITY OF KOREA

지원학부(과)	수 험 번 호	주민등록번호 앞6자리(예:040512)

성 명

3번 답안　　(반드시 해당 문제와 일치 하여야 함)

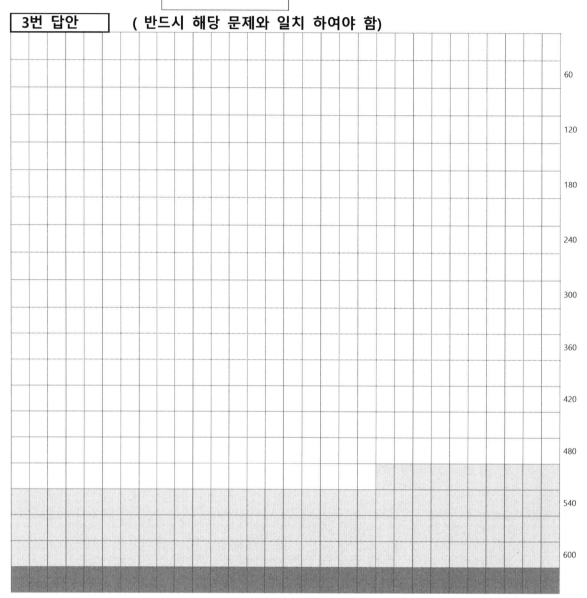

3. 2023학년도 가톨릭대 수시 논술

[문항 1] 밑줄 친 ㉠에 대해, (가)와 (나)에 나타난 견해의 차이를 서술하시오. (띄어쓰기 포함 300~350자 / 20점)

특정 음식에 대한 금기는 해당 지역의 음식 문화를 대표한다. 이중 중동 일부 지역의 ㉠ **돼지고기 금기**는 많은 학자들의 관심을 끌었다. 이에 대해 (가)는 마빈 해리스, (나)는 메리 더그라스의 학설을 정리한 글이다.

(가)

기원전 13세기 히브리인들이 살았던 중동 지역의 대부분은 강우를 이용한 농업을 하기에는 너무 척박하고 관개도 쉽지 않은, 숲이 없는 평원과 구릉들로 이루어진 땅이었다. 이로 인해 그들은 거의 대부분이 소, 양, 염소 등을 기르는 유목 생활을 할 수밖에 없었다. 소, 양, 염소 등과 같은 반추동물(反芻動物)은 섬유소가 풍부한 풀, 나뭇잎 등을 되새김질하는 소화 기관을 가지고 있기 때문에 훨씬 효과적으로 이런 환경에 잘 적응할 수 있었다. 그러나 돼지는 덥고 건조한 기후와 체질적으로 잘 맞지 않는다. 돼지는 체온조절 능력을 잘 갖추지 못한 동물이다. 또한 섬유소 형성도가 낮은 나무열매, 식물뿌리, 특히 곡식을 주로 먹기 때문에 인간과 직접 경쟁하는 관계일 수밖에 없었다.

돼지는 식용할 수 있는 젖과 같은 다른 부산물이 없을뿐더러 먼 거리를 몰고 다니기도 어렵다. 때문에 돼지를 많이 기르는 유목민은 지구상 어디에도 없다. 식용 고기만을 위해 사육되는 가축이 있다면 그것은 매우 비경제적인 일종의 사치품이라고 할 수 있다. 그런데 돼지고기는 육즙이 풍부하고 부드러우며, 기름기가 많은 귀한 식품이었다. 고대 중동지방에서는 처음부터 돼지고기가 사치스러운 식품이었는 바람에 돼지고기는 더욱 귀해졌다. 사람들은 이 사치품을 먹기 위한 유혹에 시달리기 마련이었다. 돼지고기를 먹고 싶어 하는 유혹이 크면 클수록 종교적 금기 조치의 필요성은 더욱 커졌던 것이다.

(나)

유대교에서 식사 율법은 신성함을 지키는 규율이기도 했다. 이 신성함이야말로 고대 히브리인의 삶의 목적 그 자체였다. 그들은 신의 축복을 받기 위해 이 신성함을 유지해야 했다. 이들의 식사 율법에서 정결함을 추구하는 것은 이 신성함의 상태에 도달하기 위함이었다. 나아가 이들에게 신성하게 된다는 것은 곧 자신들이 다른 민족과 구별된다는 것을 의미했다.

히브리인이 주로 사육했던 동물은 소, 양, 염소 등이 있었는데, 그들은 이 동물들을 신에게 축복받은 동물 즉 정결한 동물로 간주했다. 이에 소, 양, 염소 등과 같이 발굽이 갈라지고 되새김질을 하는 동물은 식용할 수 있는 것으로 분류되었다. 돼지는 발굽은 갈라졌지만 되새김질을 하지 않는다는 이유로 신의 축복을 받지 못한 불결한 동물로 인식되었다.

풀을 주로 먹는 소, 양, 염소 등에 비해 돼지는 썩은 고기조차 먹는 동물이었기 때문에 불결함의 이미지를 가중하기에 충분했다. 또한 돼지고기를 먹는 집단을 이교도로 간주하기도 했다. 낙타나 토끼 등도 위의 두 조건을 모두 충족하지 못한 동물이었지만 유독 돼지에 대한 혐오가 컸던 이유를 여기에서 찾을 수 있다.

가톨릭대학교
THE CATHOLIC UNIVERSITY OF KOREA

지원학부 (과)

수 험 번 호

주민등록번호 앞6자리(예:040512)

성   명

1번 답안   (반드시 해당 문제와 일치 하여야 함)

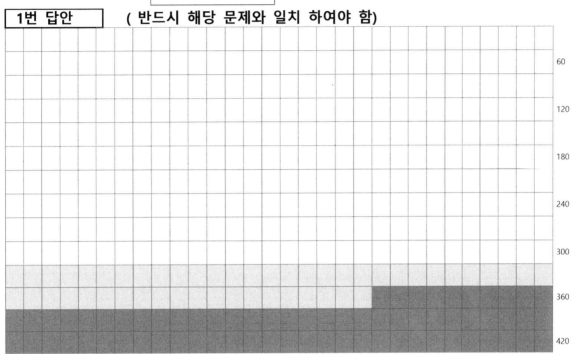

[문항 2] (가)의 여론조사에 나타난 현상의 원인과 이를 해결하기 위한 대안을 (나)와 (다)의 관점에서 설명하시오. (띄어쓰기 포함 500~600자 / 40점)

(가)

미국 갤럽의 조사에 따르면, 자신을 어떤 정당도 지지하지 않는 무당파라고 밝힌 응답자의 비율은 1988년 33%에서 2016년 39%로 큰 변화가 없었다. 같은 기간 복지 정책이나 인종 문제와 같은 민감한 이슈에 대해 중도적 입장이라고 밝힌 사람의 비율도 크게 변하지 않았다. 그런데 또 다른 여론조사 업체가 상대 정당에 대해서 느끼는 감정을 1~100도 사이로 나타내는 '느낌 온도계' 지표를 이용해 조사했더니, 1980년 조사에서는 자신이 지지하는 정당에 72도, 상대 정당에 45도의 느낌 온도를 매겼다. 2016년 조사에서는 지지 정당에 65도, 상대 정당에 29도를 매겼다. 지지 정당에 대한 온도가 7도 떨어지는 동안 상대 정당에 대한 온도는 16도나 떨어진 것이다.

이처럼 자신이 지지하거나 소속된 집단에 대해서는 우호적이지만, 그렇지 않은 집단에 대해서는 강한 반감이나 불신의 감정을 드러내는 현상이 두드러지고 있다. 2014년 퓨 리서치센터의 조사에 따르면, 공화당원의 37%와 민주당원의 31%가 상대 정당을 '국가의 안녕에 대한 위협'이라고 생각했다. 2016년 조사에서는 그렇게 생각하는 비율이 공화당원 45%, 민주당원 41%로 높아졌다. 자녀가 자신과 다른 정당 지지자와 결혼하는 것에 반대한다고 응답한 비율은 1960년 극소수였지만, 2016년 조사에서는 공화당 지지자의 50%, 민주당 지지자의 30%에 달했다.

(나)

사회 집단은 소속감을 기준으로 내집단과 외집단으로 구분할 수 있다. 자신이 소속해 있으면서 강한 소속감을 느끼는 집단을 내집단 또는 우리 집단이라고 한다. 반면 자신이 소속해 있지 않으면서 이질감을 느끼는 집단을 외집단 또는 그들 집단이라고 한다. 사람들은 내집단을 통해 자아 정체감을 형성하고 집단 구성원에게 강한 동질감을 느낀다. 내집단 의식이 지나치게 강하면 다른 집단과 갈등을 빚을 수 있고, 개인이 집단에 과도하게 구속되기도 한다.

한편 심리학의 '동기적 추론' 이론에 따르면, 사람들은 어떤 판단을 내릴 때 정확성 목적과 지향성 목적을 갖는다. 정확성 목적은 합리적 판단을 내리기 위해 철저하게 정보를 탐색하려는 경향을 말하며, 지향성 목적은 원하는 결론을 먼저 내리고 그 결론을 뒷받침할 만한 근거를 찾는 경향을 말한다. 정확성 목적을 견지하는 것이 바람직하지만 사람들은 대개 '믿고 싶은 대로 믿는' 지향성 목적을 따르는 경향이 있다. 인터넷과 소셜미디어가 지배하는 미디어 환경은 이러한 경향을 더욱 심화시킨다. 그 결과 '믿고 싶은 것만 더욱 믿게 되는' 확증 편향이 강화된다. 최근 심화되는 정서적 양극화 현상은 이러한 배경에서 비롯된다.

(다)

불신과 반감, 그리고 분노와 증오가 폭발하는 사회는 살벌하다. 물고기가 물의 존재를 느낄 수 없듯이, 분노와 증오의 블랙홀에 빠진 사람들은 그걸 깨닫기 어렵다. 정치학자 리 드러트먼은 이렇게 말했다. "우리에게 필요한 것은, 세상을 양자 구도로 보는 습관을 무너뜨리는 것이다. 적과 동맹을 수시로 바꿀 수 있는 유연함이 필요하다. 협력이 중요한 분야에서는 집단 간의 관계를 유연하게 관리하는 것이 중요하다. 승자와 패자, 내부자와 외부자를 뚜렷이 구분하는 구도를 피해야 한다. 가능한 한 성격이 다른 그룹을 섞어서 운영하는 지혜를 발휘해야 한다."

또한 확증 편향에서 벗어나기 위해 자신의 확신이 편견이 아닌지 의심하고, 나와 다른 의견에 귀 기울여야 한다. 상대방의 정치적 입장이나 정책을 제대로 이해하기 위해 민주적 방식의 진지한 대화, 사람들의 다양한 의견을 수렴할 수 있는 공청회와 같은 공적 토론 등이 필요하다. 나아가 알고리즘이 지배하는 소셜미디어에 대해 비판적으로 접근하는 자세가 필요하다.

지원학부(과)

수 험 번 호

주민등록번호 앞6자리(예:040512)

성   명

2번 답안   (반드시 해당 문제와 일치 하여야 함)

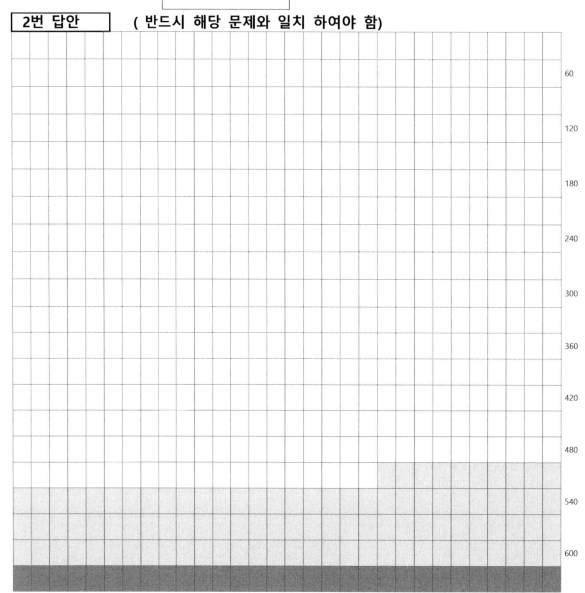

[문항 3] (가)에 나타난 역사서술과 역사소설의 공통점과 차이점을 요약하고, 이를 토대로 (나)와 (다)를 비교·분석하시오. (띄어쓰기 포함 500~600자/ 40점)

(가)

역사가의 역사서술과 소설가의 역사소설은 둘 다 과거 사실을 소재로 한다. 아울러 서사 (Narrative)의 형식과 구조로 표현된다는 공통점이 있다. 그 내용은 과거 사실에 대한 무차별적이거나 무작위적 재현이 아니라, 역사가와 소설가에 의해 의미가 부여된 과거의 일부만 서사로 재구성된다.

그러나 양자는 우선 서사의 목적이 크게 다르다. 역사서술이 대상 시대와 인물에 대한 객관적 이해를 궁극적으로 추구한다면, 역사소설의 창작 목적은 개연성 있는 삶의 간접체험을 통해 재미와 감동을 주는 것이다. 따라서 소설가는 과거를 재현할 때 역사가보다 더 많은 자유를 갖는다. 역사가는 과거를 탐구할 때 사료가 부족하면 조심스레 추론만 제시하고 만다. 그에게 입증 불가능한 불가지(不可知)의 과거는 출입금지 구역과 같다. 반면 소설가는 그 막다른 골목을 사료의 제약 없이 허구적 상상력을 발휘해 돌파한다. 가상의 인물과 배경을 창작하는 것도 꺼리지 않는다.

역사책에서는 찾기 힘든 등장인물의 긴 독백과 내면에 대한 주관적 심리 묘사가 역사소설에서는 흔히 보이며, 은유나 상징과 같은 문학적 수사도 많이 활용된다. 대개의 역사책은 인물의 심리나 내면보다 그 시대를 움직인 중요한 사건의 인과관계나 역사적 의미, 여기에 기여한 인물의 언행(行) 등을 객관적이고 명료한 언어로 설명하는 데 주력한다. 따라서 대중은 간결한 설명투의 문체로 역사 지식을 전달하는 역사책보다, 비록 허구라 할지라도 흥미진진한 전개와 감동이 수반되는 역사소설에 더 열광적 반응을 보이곤 한다.

(나)

이순신이 지휘하는 조선 수군(水軍)은 정유년(1597) 9월 16일 명량해전의 대승으로 일본군의 서진(西進)을 저지하고 해상 통제권을 되찾았다. 그러나 정유년은 이순신에게 가장 힘들고 가슴 아픈 한 해이기도 했다. 자신은 2월 말 삼도수군통제사에서 파직되어 심한 옥고를 겪었고, 4월 초에는 노모의 사망 소식을 접했다. 10월 14일에는 셋째 아들 면이 고향 아산에서 일본군과 싸우다 전사하였다는 기별을 받았다. 『난중일기』에 따르면, 이순신은 이날 새벽 '말에서 떨어지는 자신을 아들 면이 구하려는 꿈'을 꾸었는데 저녁 무렵 아들의 사망 소식을 전하는 편지를 받았다. 겉봉에 적힌 '통곡'이라 는 두 글자를 보고 면의 죽음을 직감한 이순신은 그 자리에 주저앉아 통곡하였다.

(다)

면의 부고를 받던 날, 나는 군무를 폐하고 하루 종일 혼자 앉아 있었다. 환도 두 자루와 면사첩이 걸린 내 숙사 도배지 아래 나는 하루 종일 혼자 앉아 있었다. 바람이 잠들어 바다는 고요했다. 덜 삭은 젖내가 나던 면의 푸른 똥과 면이 돌을 지날 무렵의 아내의 몸냄새를 생각했다. 쌀냄새가 나고 보리 냄새가 나던 면의 작은 입과 그 알아들을 수 없는 옹아리를 생각했다. 날이 선 연장을 신기해하던 면의 장난을 생각했다. 허벅지와 어깨에 적의 칼을 받고 혼자서 죽어갈 때의 면의 무서움을 생각했고, 산 위에서 불타는 집을 내려다보던 면의 분노를 생각했다. 쓰러져 뒹굴며 통곡하는 늙은 아내를 생각했다. 나를 닮아서, 사물을 아래에서 위로 빨아당기듯이 훑어내는 면의 눈동자를 생각했고, 또 내가 닮은 내 죽은 어머니의 이마와 눈썹과 시선을 생각했다. 젊은날, 국경에서 돌아와 면을 처음 안았을 때, 그 따스한 젖비린내 속에서 뭉클거리며 솟아오르던 슬픔을 생각했다. 탯줄에 붙어서 여자의 배로 태어나는 인간이 혈육의 이마와 눈썹을 닮고, 시선까지도 닮는다는 씨내림의 운명을 나는 감당하기 어려웠다. 그리고 송장으로 뒤덮인 이 쓰레기의 바다 위에서 그 씨내림의 운명을 힘들어 하는 내 슬픔의 하찮음이 나는 진실로 슬펐다.

-김훈, 『칼의 노래』 중에서-

가톨릭대학교
THE CATHOLIC UNIVERSITY OF KOREA

지원학부(과)		수 험 번 호					주민등록번호 앞6자리(예:040512)					

성　　명

3번 답안　　(반드시 해당 문제와 일치 하여야 함)

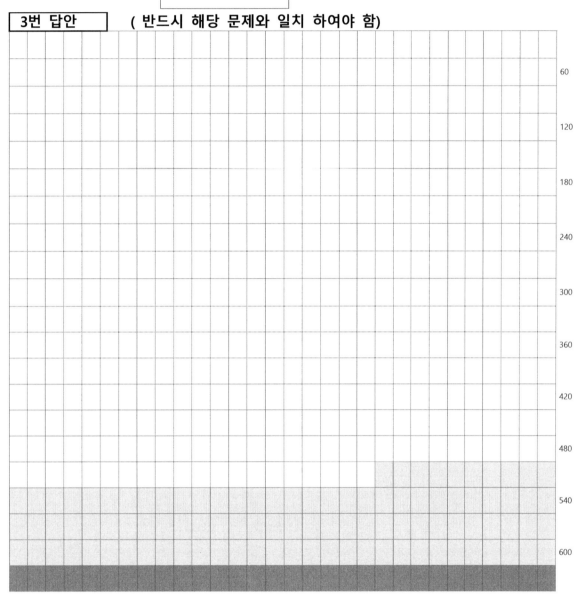

4. 2023학년도 가톨릭대 모의 논술

[문항 1] (가)를 참고하여, 본부장이 배석자들을 데리고 협상장을 떠난 이유를 설명하시오. (띄어쓰기 포함 300~350자 / 20점)

(가)

'협상 가능 영역'은 협상 당사자들이 모두 만족할 수 있는 영역이다. 협상 가능 영역의 바깥선은 '협상 포기 한계선'이다. 만약 협상 가능 영역이 존재하지 않는다면 한쪽 또는 양쪽이 협상 포기 한계선을 바꿔야 협상 가능 영역이 존재하게 되고 협상이 진행될 수 있다. 협상 가능 영역이 존재하더라도 한쪽이 이 선을 넘어서는 요구를 꺾지 않는다면 다른 쪽은 협상을 포기할 수밖에 없다.

(나)

기자: 협상에서 고도의 기술과 전략이 필요한 거죠?

본부장: 협상에는 여러 가지 기술과 전략도 필요하지만 우선 신뢰를 지키는 게 기본입니다. 협상을 하다보면 인내의 한계까지 와서 고함을 지르거나 얼굴을 붉히는 일이 비일비재합니다. 자리를 박차고 일어나기도 하지요. 그렇게 연극을 할 수도 있습니다. 다만 그런 횟수가 잦아지면 신뢰를 잃게 됩니다.

기자: 작년 4월 미국에서 쇠고기 추가협상 도중 귀국하겠다며 협상장을 떠났지요. 그건 협상 전략에 속합니까?

본부장: 국내 상황은 절박했는데 상대편이 쉽게 설득이 안 됐어요. 자리를 뜨면서 배석한 대표단 다섯 명에게도 따라 나오라고 했죠. 제 좌절의 표시였습니다. 그때 상대편도 '저 정도면 연극이 아니다. 이게 한국 측의 한계선이구나' 하고 느꼈을 겁니다.

기자: 결과적으로 우리 요구가 관철되긴 했지만 그 당시에는 정말 빈손으로 귀국할 생각이었습니까?

본부장: 사정이 어떻든 상업적 이익은 미국 측이 보는 것이거든요. 저쪽은 팔겠다는 입장이니까요. '협상으로 시간을 끄는 만큼 쇠고기를 팔지 못하면 손해는 저쪽에 있다. 시간은 우리 편이다. 미국 측이 기회비용을 계산한다면 협상을 빨리 끝맺는 쪽으로 갈 수도 있다. 그러면 이쯤에서 보따리를 싸도 좋겠다.' 하는 판단이 섰어요.

2009년 9월 21일자 일간신문 기사

가톨릭대학교
THE CATHOLIC UNIVERSITY OF KOREA

지원학부(과)

수 험 번 호			

주민등록번호 앞6자리(예:040512)					

성   명

1번 답안

(반드시 해당 문제와 일치 하여야 함)

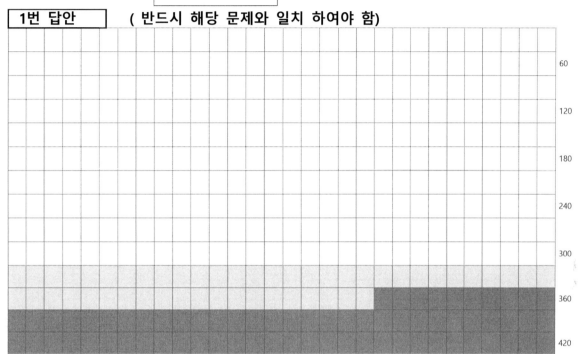

[문항 2] (가)의 주장을 (나)와 (다)를 통해 비판하시오. (띄어쓰기 포함 500~600자 / 40점)

(가)

시장경제 체제는 개인과 기업의 자유로운 경제 활동을 보장한다. 개인은 무엇을 얼마나 소비할 것인가 등을 자유롭게 선택할 수 있고, 기업도 무엇을 얼마나 어떻게 공급할 것인가 등을 자유롭게 결정할 수 있다. 이처럼 개인이나 기업이 자신의 의사에 따라 수요와 공급을 자유롭게 선택할 수 있기 때문에 이들은 자신의 이익을 극대화하기 위해 노력한다. 그 결과 개인은 소비를 통한 만족감을 극대화할 수 있고 기업은 공급을 통한 이윤을 극대화할 수 있다. 이처럼 시장 경제 체제에서는 개인과 기업이 경제활동의 중심이 되어 자신의 이익을 추구하며 수요와 공급에 관해 자유롭게 의사 결정을 함으로써 사회 전체에 이득을 가져온다.

(나)

남산 아래 묵적동에 살던 허생은 십 년을 기약하고 공부를 시작하지만 돈을 벌어오라는 아내의 독촉을 이기지 못하고 집을 나서 한양 최고의 부자인 변 씨를 찾아가 만 냥을 빌린다. 허생은 곧바로 경기도와 충청도의 경계이고 충청도, 전라도, 경상도로 드나드는 길목인 경기도 안성으로 내려갔다. 거기서 그는 대추, 밤, 감, 배 등의 과일들을 시세의 곱절 가격으로 모조리 사들였다. 허생이 과일을 사들이는 바람에 백성들부터 양반에 이르기까지 연회를 열거나 제사를 지낼 수 없었다. 얼마가 지나자 허생에게 과일을 곱절의 가격으로 팔았던 장사치들이 도리어 열 배의 가격으로 되사 가게 되었다. 결과적으로 허생은 상품의 공급자로서 많은 이득을 얻었지만 이로 인한 고통은 온전히 이 물건들을 필요로 했던 수많은 백성들에게 돌아가게 되었다.

(다)

통행이 자유로운 거리에 설치된 가로등은 비용 지불 여부와 관계없이 누구나 이용할 수 있다. 가로등을 설치하는 데 돈을 낸 사람만 이용하게 할 수도 없고, 이용하는 사람이 늘어난다고 해서 그것이 제공하는 혜택이나 효용이 줄어들지 않는다. 경찰이 제공하는 치안 업무도 마찬가지이다. 일단 국가에서 경찰을 조직하여 치안 업무를 맡기면 누구나 방범 혜택을 받는다. 이때 누가 더 경찰의 보호를 받는지 가리는 것은 어려운 일이다. 이처럼 사용한 만큼 부담하기 어렵고 사용을 제한하기도 어려운 서비스의 경우 사람들은 돈을 지불하지 않고 이용하려고 한다. 시장에 맡길 경우 이러한 서비스는 제대로 된 공급이 어려울 뿐만 아니라 그 유지도 어렵게 된다. 더욱이 이들 서비스는 사회 전체적으로 반드시 공급이 이루어져야 한다는 점이 문제가 된다.

가톨릭대학교
THE CATHOLIC UNIVERSITY OF KOREA

지원학부(과)		수 험 번 호		주민등록번호 앞6자리(예:040512)

성 명	

2번 답안	(반드시 해당 문제와 일치 하여야 함)

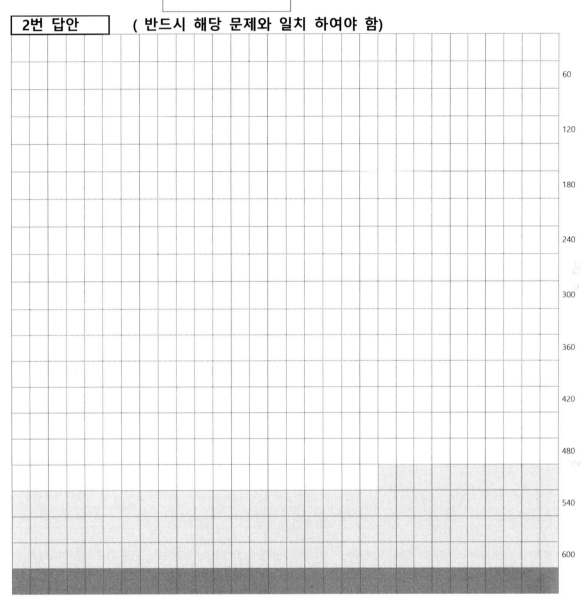

[문항 3] (가)와 (나)의 관점에 근거하여 (다)의 현상을 설명하고 비판하시오. (띄어쓰기 포함 500~600자 / 40점)

(가)

과학은 원래 인간을 위해 존재하는 것인데 오히려 인간이 과학 기술에 종속되는 현상이 발생한다. 컴퓨터, 휴대전화에 지나치게 의존하거나 생산 현장에서 인간을 기계의 부품처럼 여기는 경우가 이에 해당한다. 과학 기술은 인권 및 사생활 침해 문제를 일으키기도 한다. 정보 통신 기술이 발달하면서 인터넷을 통해 개인 정보가 유출되는 일이 발생하고 있으며, 위치 추적 시스템, 감시 카메라 등을 이용해 사람들을 감시하고 통제할 수 있게 됐다.

(나)

《대량살상 수학무기》의 저자, 캐시 오닐은 나쁜 알고리즘의 조건으로 '불투명성'과 '불공정성'을 꼽는다. '불투명성'이란 어떤 알고리즘에 자신이 포함되는 것을 당사자가 알고 있지만 알고리즘의 내용이 당사자에게 비공개되는 경우를 말한다. 불공정성'은 어떤 정보가 다른 정보와 연결되면서 불공정한 결과가 만들어지는 경우를 의미한다. 예컨대 가난한 사람들은 신용 상태가 나쁘고 범죄 발생률이 높은 동네에 살 가능성이 높다는 가정을 알고리즘에 반영할 경우, 이들은 대출심사에서 거부되거나 높은 대출금리를 적용받을 확률이 높아지고 작은 범죄에도 체포되거나 더 긴 형량을 받을 확률이 높아진다.

알고리즘을 통한 데이터 처리 과정은 과거를 반영할 뿐 미래를 창조하지 않는다. 미래를 창조하려면 도덕적 상상력이 필요하다. 그런 능력은 오직 인간만이 가지고 있다. 우리는 더 나은 가치를 알고리즘에 포함시키고, 인간의 존엄성 구현과 삶의 질 향상이라는 윤리적 목적을 따르는 빅데이터 모형을 창조해야 한다. 그렇게 하려면 이익보다 공정성을 우선시해야 한다.

(다)

현재 미국 대부분의 기업들은 이력서를 걸러내는 데 자동심사 시스템이라는 알고리즘을 활용한다. 이력서의 72%는 알고리즘에 의해 걸러져서 인간의 눈으로 심사받을 기회조차 없다. 시카고대와 MIT 공동연구진은 1,300여 개 회사에 5,000장의 가짜 이력서를 보내는 실험을 했다. 이력서의 절반은 '에밀리 월시'나 '브렌든 베이커' 같은 전형적인 백인 이름을, 나머지 절반은 '라키샤 워싱턴'이나 '자말 존스' 같은 전형적인 흑인 이름을 사용했다. 백인 이름을 사용했을 때 이력서에 대한 반응률이 50%p나 더 높았다.

영국의 세인트조지 의과대학은 입학 사정에 자동시스템을 도입했다. 빠르게 처리하고 외부 청탁을 피하기 위한 목적이었다. 효율성과 공정성을 위해 자동분류 알고리즘을 활용한 것이다. 이 알고리즘은 수십 년간 쌓인 입학정보를 이용했는데, 여기에는 과거에 영어 사용 미숙으로 탈락한 지원자들의 정보가 담겨 있었다. 세인트조지 의대는 이러한 정보를 지역에 따라 코드화했다. 이로 인해 특정 주소지, 출생지의 지원자에게는 자동적으로 낮은 점수가 부여됐고, 결과적으로 주로 아프리카, 파키스탄 이민자들은 면접 기회조차 얻지 못하게 됐다.

가톨릭대학교
THE CATHOLIC UNIVERSITY OF KOREA

지원학부(과)		수 험 번 호				주민등록번호 앞6자리(예:040512)						

성   명

3번 답안   (반드시 해당 문제와 일치 하여야 함)

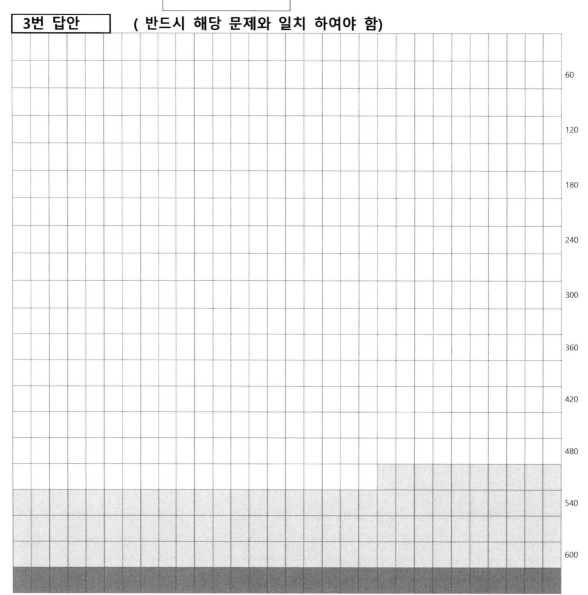

5. 2022학년도 가톨릭대 수시 논술 (A)

[문항 1] 제시문 (가), (나)는 로봇 기술의 발달이 가져올 수 있는 상황과 관련된 글이다. 이와 관련하여 (가), (나)의 공통점과 차이점을 서술하시오. (300~350자 / 20점)

(가)

청소 로봇이나 가정부 로봇처럼 주로 인간이 하는 노동을 대신하는 로봇도 있지만, 인간의 동반자 역할을 하는 로봇 또한 인공 지능 발명 계획의 목록에서 날로 늘고 있다. 애완동물 로봇은 이미 상용화되고 있고, 간병인 로봇이나 가정 교사 로봇 또는 배우 로봇 등도 개발 중이다. 다시 말해, 오늘날 로봇 공학은 노예나 단순 노동자보다는 삶의 동반자 역할이 강조되는 로봇을 개발하려는 경향을 보인다.

로드니 브룩스는 언젠가 로봇이 인간과 같은 정도의 지능과 의식을 갖게 될 것이라고 믿고 있다. 브룩스는 이것이 현실이 될 때, 인간을 위해 이들 로봇을 인공 노예나 대체 노동자로 부리는 것은 비윤리적인 일이 될 것이라고 말한다. 우리가 우리의 창조물을 노예처럼 취급해서는 안 된다는 것이다. (중략)

로봇 공학자들은 우리에게 윤리적 난제를 제기할 것이다. 그들과 연관해서는 '로봇에게 인권을 인정할 것인가.'하는 문제보다는, 로봇에게 그에 합당한 권리, 즉 '로봇에게 로봇권을 어떻게 인정할 것인가.' 하는 문제가 떠오를 것이기 때문이다. 따라서 이것은 우리에게 새로운 타자라는 철학적 과제를 던질 것이다. (중략) 이제 우리는 로봇들이 우리에게 제대로 봉사할 준비가 되어 있는지 묻는 것 이상으로, 우리가 로봇들을 받아들일 준비가 되어 있는지 물어야 하지 않을까.

(나)

애커먼의 저서 『휴먼 에이지』에는 로봇 기술의 발달에 대한 우려와 두려움이 표현된 구절이 나온다. 로봇이 경험을 통해 스스로 배우기 시작하면 우리가 원하는 것만 배우리라는 보장이 없으며, 배우지 말았으면 하는 것을 배울 수도 있음을 지적한다. 그 로봇은 한번 배운 것을 망각하지도 않는 무서운 존재가 될 수 있다. 그런데도 기술자들은 자의식을 가진 로봇을 창조하는 것을 '비밀스러운 성배(聖杯)'처럼 여긴다고 한다.

2007년 로마에서 열린 '국제로봇자동화학회'에서 한국 정부는'로봇윤리헌장'을 발표한 바 있다. 여기에는 인간이 로봇에 대해 지켜야 하는 윤리와 함께 "로봇은 인간의 명령에 순종하는 친구, 도우미, 동반자로서 인간을 다치게 해서는 안 된다."는, 로봇이 인간에 대해 지켜야 하는 윤리가 포함되어 있었다. 그러나 이 헌장은 여러 측면에서 그 효과성을 입증하지 못한 채 잠자고 있다.

인간 역시 신의 명령을 거역했듯이 인간이 만든 피조물 또한 우리의 통제를 벗어날 것임을 예측하는 것은 지극히 당연한 생각이다. 그러니 이쯤에서 '비밀스러운 성배'에 대한 추구는 그만두어야 마땅한 일이다.

 가톨릭대학교
THE CATHOLIC UNIVERSITY OF KOREA

지원학부(과)

수 험 번 호			

주민등록번호 앞6자리(예:040512)					

성 명

1번 답안	(반드시 해당 문제와 일치 하여야 함)

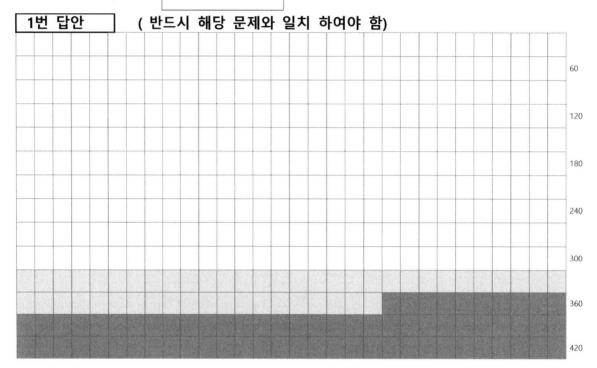

가톨릭대학교
THE CATHOLIC UNIVERSITY OF KOREA

[문항 2] 제시문 (가)는 주류 문화와 하위문화에 관한 글이다. 이를 바탕으로 (나), (다)를 비교·분석하시오. (500~600자 / 40점)

(가)

 한 사회의 구성원 대부분이 공유하는 문화를 주류 문화라 하고, 한 사회 내의 일부 구성원만이 공유하는 문화를 하위문화라고 한다. 현대 사회에는 지역, 세대, 성별, 계층, 직업, 취향 등을 매개로 다양한 하위문화가 존재한다. 세대별로 공유하는 세대 문화, 지역 사회에서 나타나는 지역 문화, 주류 문화에 저항하고 대립하는 반문화 등이 대표적이다.

 하위문화는 그 문화를 누리는 구성원의 문화 정체성과 소속감 형성에 도움을 주고, 다양한 형성 요인과 배경을 바탕으로 사회 전체의 문화를 다채롭게 한다. 반면 다른 집단의 구성원과 구별되기를 원함에 따라 종종 사회적 갈등과 혼란을 초래하기도 한다. 하위문화는 주류 문화와 지속적으로 상호작용하며, 주류 문화를 견제하기도 하고 변화시키기도 한다. 또한 그러한 과정에서 주류 문화에 편승하거나 그 자신이 주류 문화가 되기도 한다.

(나)

 대한민국 가요계는 '서태지와 아이들' 이전과 이후로 나뉜다는 말이 있습니다. '서태지와 아이들'이 1992년 한 TV쇼에 처음 등장했을 때만 해도 이들의 성공을 예상한 사람은 많지 않았어요. 당시 패널들은 이제껏 본 적 없던 음악 스타일에 노골적으로 난색을 표했어요. 하지만 데뷔 한 달 만에 1집이 40만장이 팔리며 급기야 밀리언셀러를 기록했고, 각종 음악 프로그램의 1위를 휩쓸었죠. 이른바 X세대를 대변하는 문화 아이콘의 탄생이었어요. 이들은 주요 음악 문법들에 도전하고 이를 새로운 방향으로 견인했어요. 스타가 된 이후에도 끊임없이 실험하고 도전했죠. 하지만 앨범이 발매될 때면 늘 머리 색깔, 의상, 음악 스타일, 가사 등이 언론으로부터 집중포화를 받았어요. 특히 4집 때는 공연윤리위원회와 적잖은 마찰을 빚었죠. 일부 가사에 대한 공연윤리위원회의 수정 지시에 반발해 수정은 커녕 가사를 전부 없애고 연주곡으로 바꿔버렸지요. 그런 시간들이 모여 지금의 아이돌이, K-POP이 있게 된 거죠. BTS의 노래와 노래가 주는 건강한 영향력을 전하는 해외 매체들도 K-POP의 역사를 말할 때면 '서태지와 아이들'을 빼놓지 않고 언급하고 있지 않습니까?

(다)

 2002년, 래퍼인 에미넴(Eminem)의 자전적 이야기를 다룬 영화 '8 마일(8 Mile)'이 성공하며 OST 'Lose Yourself'가 12주간 빌보드 차트 1위를 기록하는 기염을 토했다. 1970년대 후반 미국 젊은이들 사이에 유행하기 시작한 힙합은 '랩은 곧 사회 비판'이라는 틀을 정립하고 1980~1990년대 갱스터 힙합, G-Funk 등을 거치며 점차 대중화의 흐름을 타기 시작했다. 하지만 힙합은 여전히 인종적인 색채를 유지하고 있었고 폭력성, 선정성 등의 특징도 보이고 있었다. 그러던 것이 에미넴의 등장과 함께 마침내 팝 문화의 주류로 발돋움하게 된 것이다.

그런데 힙합은 이후 점차 초창기와는 다른 궤도를 보이기 시작했다. 언제부터인가 '자유분방', '솔직함', '일탈', '거리 문화'와 같은 힙합 본연의 이념과 정신은 '비난', '혐오', '폄하', '자기과시' 등으로 물들어 갔다. 더 많은 대중의 사랑을 받았지만, 한편에서는 자신도 모르는 사이 물질 만능, 쾌락적 정서에 바탕을 둔 마초이즘적 자기표현 방식에 매몰되는 경향이 나타났다.

가톨릭대학교
THE CATHOLIC UNIVERSITY OF KOREA

지원학부(과)	수 험 번 호	주민등록번호 앞6자리(예:040512)

성 명

2번 답안 (반드시 해당 문제와 일치 하여야 함)

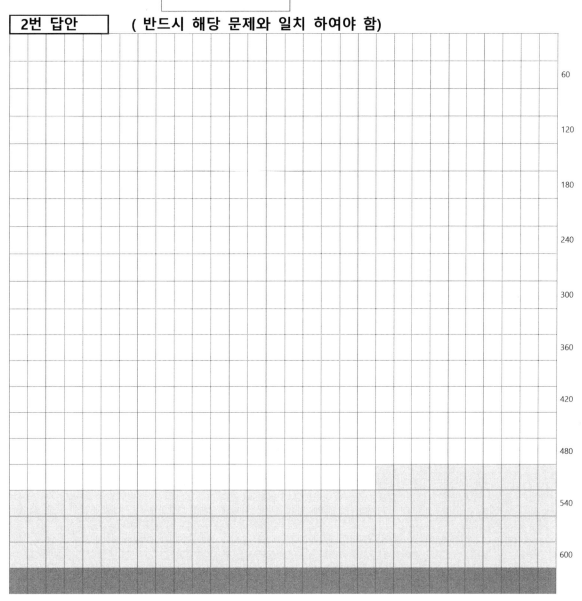

[문항 3] 제시문 (가)의 관점을 제시하고, (나)를 활용하여 (다)를 비판하시오. (띄어쓰기 포함 500~600자/ 40점)

(가)

　사실이란 결코 생선가게의 생선과 같은 것이 아니다. 그것은 넓고 아득한, 때로는 접근할 수도 없는 바다를 헤엄쳐 다니는 물고기와 같은 것이다. 역사가가 무엇을 잡아낼 것인지는 부분적으로는 우연에 달려 있기도 하지만, 주로 그가 바다의 어떤 장소를 고르는가, 그리고 어떤 고기잡이 도구를 선택하는가에 달려 있다. 물론 이 두 가지 요소는 그가 어떤 고기를 잡으려고 하는가에 따라 결정되는 문제이지만, 대체로 역사가는 자기가 원하는 사실을 손에 넣으려 한다. 역사란 해석이다.

(나)

　1492년 10월 12일 콜럼버스의 도착은 아메리카 대륙의 원주민에게 새롭고 역동적인 역사의 출발점이 아니라, 재앙과 파괴의 시작이었다. 고대부터 아메리카 대륙에는 독자적인 정치 체제와 문화를 가진 아스테카 문명과 잉카 문명 등이 번영하였다. 그러나 신항로 개척 이후 스페인의 정복자 코르테스와 피사로의 군대가 원주민의 집과 터전, 문화와 예술, 언어와 신앙을 파괴·말살하였다. 또 정복과 식민화 과정에서 무고한 원주민을 대량 학살하였다.

　이후 유럽의 식민 세력은 아메리카 원주민을 강제로 동원해 대량의 금과 은을 채굴하여 유럽과 아시아로 가져갔다. 그리고 사탕수수, 담배, 목화, 커피 등의 상업 작물을 원주민의 값싼 노동력을 동원하여 생산한 뒤 해외로 반출하였다. 광산 채굴과 상업 작물 재배는 노동 강도가 셀 뿐더러 원주민 노동자에 대한 가혹한 감시와 처벌이 동반되었다. 유럽에서 전래된 천연두와 홍역 같은 생소한 전염병 역시 면역 체계가 없었던 원주민에게는 치명적이었다. 질병과 혹사에 시달린 아메리카 원주민이 잇달아 사망하자 유럽인들은 아프리카에서 흑인 노예를 데리고 와 부족한 노동력을 보충하였다.

(다)

　1492년 10월 12일 콜럼버스의 '신대륙 발견'은 인류 역사를 바꾼 대사건이었다. 미지의 세계를 찾아 나선 콜럼버스의 개척 정신은 신·구대륙의 교류를 촉진시켰다. 아울러 지구상의 전 지역을 하나의 교역망으로 통합하는 데 기여해 오늘날 세계화의 기원을 열었다. 아메리카가 원산지인 감자와 고구마는 대표적 구황 작물로서 유럽 및 전 세계로 전파되어 배고픔에 시달리는 많은 생명을 구하였다. 또한 언어, 문화, 종교를 비롯한 유럽의 선진적 문명과 제도가 신대륙에 이식되는 발판을 마련하여 미개한 원주민의 삶과 복지를 개선하였다.

　특히 스페인을 필두로 한 유럽 각국은 콜럼버스 등이 수행한 신항로 개척 이후 아메리카, 아프리카, 아시아에 식민지를 경쟁적으로 건설하였다. 이를 통해 풍부한 원료 공급지와 광활한 시장을 확보하고 막대한 부를 축적하였다. 이들이 주도한 대서양 무역은 유럽, 아프리카, 아메리카를 잇는 삼각 무역의 형태로 전개되었다. 유럽 상인들은 무기, 직물, 철 등을 아프리카에 팔고 그 수익으로 흑인 노예를 구입해 단일 품종의 상업 작물을 대량으로 재배하는 아메리카의 농장주에게 팔았다. 그리고 이 농장에서 재배한 설탕과 담배 등을 구매해 유럽으로 가져와 큰 이익을 남겼다.

한편, 아메리카의 금과 은이 유럽 각국으로 풍부하게 유입되었으나 그 결과 화폐 가치가 하락하여 물가는 크게 올랐다. 이로 인해 토지에서 나오는 고정된 지대(地代)를 받던 봉건 영주는 경제적 타격을 받은 반면, 상공업에 종사하던 시민 계급은 큰 이익을 얻었고 농노들의 지위도 향상되었다. 해외 식민지를 확보한 유럽 각국은 상업, 제조업, 금융업을 크게 발전시켰으며, 이렇게 유럽의 경제가 성장하면서 상공업자들이 축적한 자본은 근대자본주의 발달의 밑바탕이 되었다.

가톨릭대학교
THE CATHOLIC UNIVERSITY OF KOREA

지원학부(과)		수 험 번 호		주민등록번호 앞6자리(예:040512)

성 명

3번 답안 (반드시 해당 문제와 일치 하여야 함)

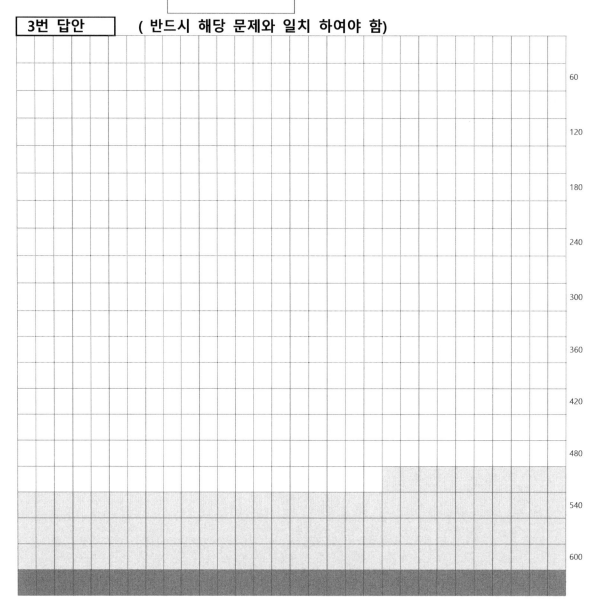

6. 2023학년도 가톨릭대 수시 논술 (B)

[문항 1] 제시문 (가)에 근거하여 (나)에 나타난 정보의 비대칭과 도덕적 해이를 설명하시오. (띄어쓰기 포함 300~350자 / 20점)

(가)

  시장에서 자원의 효율적 배분이 이루어지기 위해서는 시장 거래에 참여하는 당사자들이 관련 정보를 동등하게 가지고 있고 또 활용할 수 있어야 한다. 그런데 종종 거래 당사자 중 어느 한 편이 가진 정보의 양과 질이 다른 한 편이 가진 그것과 현격히 차이가 나는 경우가 발생한다. 즉 정보의 비대칭이 나타나는 것이다. 이러한 경우에는 대개 양질의 정보를 더 많이 가진 쪽이 정보를 활용하여 이익을 취하든지 아니면 정보가 부족한 쪽이 손해를 보게 된다. 예를 들면 보험 상품에 가입하려는 사람은 자신의 상태나 사고 관련 위험성에 대해 완전한 정보를 가지고 있지만, 보험 회사는 그렇지 못하다. 이러한 정보의 비대칭으로 인하여 보험 회사는 사고 관련 위험성이 큰 사람과 계약을 맺는 불리한 의사 결정을 할 수도 있다.

  정보의 비대칭으로 인하여 도덕적 해이라는 문제가 발생하기도 한다. 위의 예에서, 일단 보험 계약이 체결되고 나면 보험 가입자는 사고에 따른 보상을 받을 수 있기 때문에 사고 예방을 위한 노력을 소홀히 할 수 있다. 보험 가입자가 사고를 예방하려고 노력하는지 여부를 보험 회사는 확인하기가 힘들기 때문에 보험 가입자는 태만해질 수 있으며, 따라서 사고가 발생할 가능성이 커지게 된다. 이러한 도덕적 해이는 보험 회사의 보험금 지급액 상승, 그리고 보험 회사의 손실로 이어진다.

(나)

  고등학교 시절부터 유망주로 기대를 모았고 프로 구단에 입단하여 인상적인 활약을 펼쳐 왔던 A 선수는 작년에 드디어 자유 계약 선수(FA: free agent) 자격을 얻게 되었다. A 선수는 구단들과 연봉 협상을 하기 시작하였는데, 지금까지 그의 경기력이 매우 뛰어났기 때문에 여러 구단에서 그를 영입하고 싶어 하였다. 그런데 A 선수는 전부터 그를 괴롭히던 무릎 관절의 부상을 숨긴 채 선수 생활을 해오고 있었다. 거액의 계약이 가능해 보이는 유능한 선수가 자신의 약점을 외부에 알리지 않고서 여러 구단과 줄다리기를 한 것에 대해서는 의견이 분분하다. 그 상황에서는 누구라도 그렇게 했을 것이라는 의견도 있고 도덕적인 비난을 피하기 어렵다는 생각을 하는 사람들도 있다.

  최종적으로 명문 B 구단이 거액의 다년 계약을 A 선수와 체결하였다. 물론 B 구단은 그의 무릎 부상에 대해 알지 못하고 있었다. FA 계약 이후 근년 시즌에 A 선수의 경기력은 매우 실망스러웠다. 게다가 간혹 최선을 다하지 않는 모습을 보이기도 하여 팬들의 비난을 받은 적도 있었다. A 선수의 무릎 부상이 경기력에 영향을 준 것은 분명해 보인다. 하지만 잘하든 못하든 간에 FA 제도에 의하여 계약상의 연봉을 보장받는다는 이유로 최선을 다하지 않는 그의 태도에 적지 않은 팬들이 실망을 할 수밖에 없었다.

가톨릭대학교
THE CATHOLIC UNIVERSITY OF KOREA

지원학부(과)

성 명

수 험 번 호				

주민등록번호 앞6자리(예:040512)					

1번 답안   (반드시 해당 문제와 일치 하여야 함)

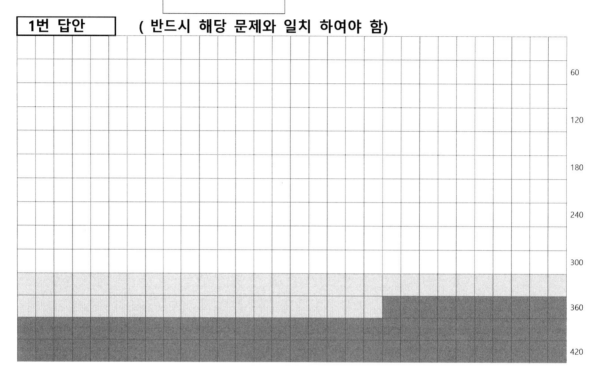

[문항 2] 제시문 (가)는 인간과 자연의 관계에 관한 글이다. 이를 바탕으로 (나), (다)의 내용을 비교·분석하시오. (띄어쓰기 포함 500~600자 / 40점)

(가)

　인간의 개입이 자연의 균형을 깨뜨릴 수 있기에 인간은 자연의 질서에 함부로 개입해서는 안 된다. 자연의 질서에 개입해서 얻는 인간의 이익보다 인간을 포함한 자연 전체의 균형과 안정을 먼저 고려할 필요가 있는 것이다. 자연은 인간, 동식물, 환경 등 다양한 구성원이 유기적으로 엮여 있는 생태계이므로 인간은 자연과 독립적으로 존재할 수 없고 전체 생태계의 관점에서 주변의 문제를 바라보아야 한다.

　인간을 포함한 자연 전체를 하나로 보는 전일론(全一論)적 관점을 취한다고 해서 개발과 보존을 대립하는 것으로 생각하지는 않는다. 인간은 생존과 복지를 위해 자연을 이용하는 주체이면서, 동시에 자연의 영향 속에서 살아가는 생태계의 구성원이기도 하기 때문이다. 이 점에서 자연을 이용하고 개발할 때 우선 고려할 것은 인간의 행위가 생태계 전체에 영향을 주게 된다는 사실이다. 결국 인간은 자연을 이용하면서도 자연의 균형을 깨뜨리지 않고 자연과 조화를 이루며 공존할 수 있는 방법을 강구해야 한다.

(나)

　마을 숲은 '부족한 것을 풍수를 통해 보완한다.'는 한국의 전통 풍수 사상을 토대로 마을마다 조성되었던 숲이다. 자연적으로 형성된 숲을 마을 숲으로 활용할 수도 있었고 인공적으로 마을 숲을 조성하기도 하였다. 천연기념물 제154호로 지정된 경상남도 함양의 상림(上林) 역시 우리나라 고유의 마을 숲 중 하나이다. 지금으로부터 약 1,100년 전인 신라 진성여왕 시기에 함양 태수로 부임한 최치원이 홍수 피해를 막기 위해 하천에 제방을 쌓고 그 위에 다양한 수종의 나무를 심어 인공적으로 숲을 조성한 것이 상림을 이루었다.

　과거 이 상림은 수해를 방지하는 호안림의 역할뿐 아니라 바람을 막기 위한 방풍림의 기능까지 했다. 예전의 마을에서는 농사가 생계와 직결된 활동이었기에 비 피해를 최소화하는 것은 말할 것도 없고 거센 바람을 막아 농작물이 원활하게 열매를 맺게 해야 했으므로 이러한 숲의 존재는 마을 주민들에게 매우 중요했다. 제방 위에 조성된 숲은 그 자체로 제방 근처의 동식물에게 적절한 생존의 터전을 제공했을 뿐만 아니라 적당한 그늘을 통해 기온을 조절함으로써 제방 생태계를 안정적으로 유지하기도 했다. 또한, 제방에 자란 식물들 덕분에 토양은 항상 적당한 습기를 머금고 있어 갑작스럽 폭우로 물이 차더라도 제방이 금이 가거나 붕괴되는 일은 크게 줄어들 수밖에 없었다.

(다)

　우리나라는 국토 면적의 약 70%가 산지로 이루어져 있으며 그 중에서도 해발 고도가 비교적 낮은 산지가 큰 비중을 차지하고 있다. 그런데 특이하게도 태백산맥과 소백산맥의 고산 지대에는 기복이 작고 경사가 완만한 고원 지형이 나타난다. 고위 평탄면이라고 불리는 이 지형은 평지보다 해발 고도가 높기 때문에 기온과 습도가 낮다. 이러한 자연환경은 배추, 무 등의 고랭지 채소나 목초 재배에 유리하여 이곳에서는 양, 소 등을 기르는 목축업이 발달하게 되었다. 이 일대는 목장과 고랭지 밭으로 이용될 뿐만 아니라 지역 곳곳에 능선을 따라 풍력 발전기가 설치되었고 도로, 댐 등이 건설되어 왔다. 또한, 관광 산업 육성을 위해 다수의 레저 시설이 조성되기도 했다. 이처럼 지속적 개발이 이루어지면서 이 지역의 많은 산림이 훼손되었다. 이로 인해 집중 호우 시 토양 침식이 심해졌고, 유실된 토양이 하천으로 흘러 들어가 하천 바닥이 높아지고 홍수 피해가 커지게 되었다. 그 피해는 인근 주민들의 삶에 직접 영향을 미치게 된다는 점에서 당장의 대책이 필요한 형편이다.

가톨릭대학교
THE CATHOLIC UNIVERSITY OF KOREA

지원학부(과)		수 험 번 호				주민등록번호 앞6자리(예:040512)						

성   명

2번 답안　　(반드시 해당 문제와 일치 하여야 함)

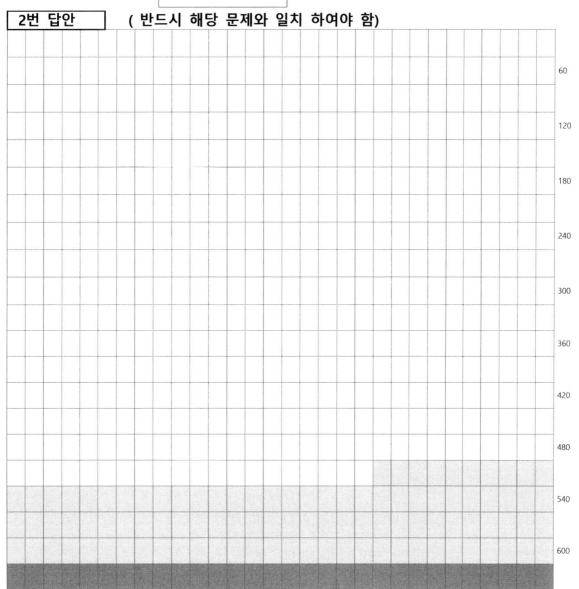

[문항 3] 제시문 (가), (나), (다)의 예술에 대한 견해를 비교하여 서술하시오. (띄어쓰기 포함 500~600자 / 40점)

(가)

  인간의 삶에서 미적 가치와 윤리적 가치는 불가분의 관계이다. 고대로부터 인간은 예술을 통해 도덕성을 강화할 수 있다고 생각했다. 일찍이 공자는 "시(詩)에서 일으키고, 예(禮)에서 서며, 악(樂)에서 완성된다."라고 말하였다. 또한 공자는 춘추전국시대 정나라의 음악은 인간의 마음을 어지럽힌다고 비판했고 반면 아악(雅樂)은 인간의 성정을 올바르게 할 수 있는 음악이라고 높이 평가하였다. '인간은 예술을 통해 인격을 도야함으로써 진정한 인간다움[仁]에 이를 수 있다.'는 공자의 인식을 드러낸 것이다. 이는 예술이 도덕적 품성을 함양하고 백성을 교화하는 방편임을 보여준다. 결국 예술은 미적 가치와 윤리적 가치의 조화를 추구함으로써 인격 형성에 긍정적인 영향을 미칠 수 있는 것이다.

(나)

  문학에서 참여와 순수의 문제는 문학과 사회의 관계를 전제로 설정된다. 시인 김수영과 평론가 이어령 사이에서 벌어진 '불온시' 논쟁은 1960년대의 대표적인 순수-참여 논쟁이다. 김수영이 보기에 당시의 현실은 독재, 빈곤, 무지, 허위, 속물 근성으로 인한 거대한 혼돈의 현장이었다. 특히 당시는 정치적 검열과 탄압으로 인해 창작의 분위기가 상당히 위축되어 있었다. 이에 신작을 써놓고도 발표하지 못했던 김수영에게 당시의 현실적 억압을 돌파하는 것은 매우 중요한 일이었다. 그에게 있어 발표하지 못한 모든 시들은 현실 비판적 내용이 담긴 이른바 '불온시'로 여겨졌다. 그는 모든 '불온한 내용의 시'가 거리낌 없이 발표될 수 있는 사회가 되어야 '영광된 사회'가 올 것이라 주장했다.
  김수영의 이러한 생각은 그의 작품 『푸른 하늘을』에서도 확인할 수 있다.

  자유를 위해서 / 비상하여 본 일이 있는/ 사람이면 알지 / 노고지리가 / 무엇을 보고 / 노래하는가를 / 어째서 자유에는 / 피의 냄새가 섞여 있는가를

  위 작품에서 김수영은 자유가 자기희생을 통해 얻어지는 능동적인 개념임을 강조하고 있다. 우리는 이 작품 속에서 소시민적 무능을 극복하고 사회적 주체로 등장하는 김수영의 목소리를 들을 수 있다.

(다)

  J. 스톨니츠는 『미학과 비평철학』에서 '예술을 위한 예술'은 예술이 무용하다고 비난하는 사람들에 대한 답변이라고 말한다. 유용성을 주장하는 사람들이 상업주의에 물든 도구적 문화를 요구할 때 '예술을 위한 예술'은 그에 대한 강력한 반론이 된다. 예술은 '자유요 사치요 꽃 장식이고 태만함에 빠져 있는 영혼을 개화시키는 것'으로,

예술은 절대로 어떠한 것에도 도움을 주지 않는다.

 판단을 하는 것은 판사와 성직자의 일이지 예술가의 목표는 아니다. 예술가는 경험을 파악하고 그것을 생기 있게 하고 모든 경험이 지닌 상상적이고 정서적인 기쁨을 즐길 뿐이다. 경험을 도덕적으로 고려하는 것은 부적절하다. 요컨대 예술가는 '선과 악을 넘어서' 있다. (중략) '예술은 무감각한 도덕주의자가 상상할 수 없는 황홀경의 상태로 고양시키기 때문에' 위대한 것이다. 스톨니츠는『미학과 비평철학』에서 "시가 도덕적이라든가 혹은 비도덕적이라고 말하는 것은, 정삼각형은 도덕적이고 이등변삼각형은 비도덕적이라고 말하는 것과 마찬가지로 무의미하다."는 문구를 인용하면서, 유미주의는 '절대적 의미에 있어서 미적인 감각만을 불러일으키는 것'이라고 요약한다.

가톨릭대학교
THE CATHOLIC UNIVERSITY OF KOREA

지원학부(과)	수 험 번 호	주민등록번호 앞6자리(예:040512)

성 명

3번 답안 (반드시 해당 문제와 일치 하여야 함)

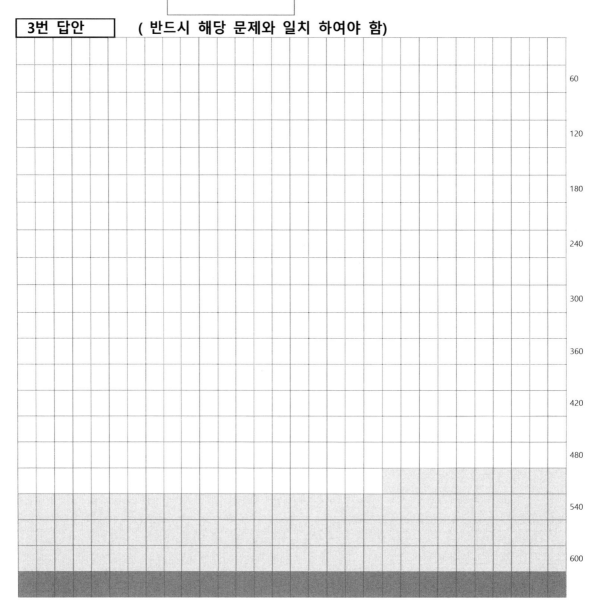

7. 2022학년도 가톨릭대 모의 논술

[문항 1] (가)를 바탕으로 (나)의 '소비' 현상을 설명하고 비판하시오. (띄어쓰기 포함 300~350자 / 20점)

(가)

우리는 일상에서 수많은 선택과 마주하는데, 이때 합리적 선택은 편익이 비용보다 큰 것을 말한다. 편익은 어떤 행위를 통해서 얻게 되는 만족감으로 금전적 이득뿐만 아니라 정신적 만족감 등 비금전적인 것도 포함한다. 선택을 할 때 포기하는 것이 없다면 편익이 큰 쪽을 고르는 게 가장 합리적이다. 하지만 선택에는 언제나 포기가 뒤따르므로, 합리적 선택을 위해서는 포기한 대안들의 가치도 고려해야 한다. 경제적 차원에서 합리적 선택은 효율성에 따르지만, 때로는 이러한 선택이 향후 발생할 편익과 비용을 간과하는 원인이 된다.

(나)

신상품을 최대한 빨리 만들어서 싼 가격으로 파는 사업 전략을 취한 의류 기업들이 최근 승승장구하고 있다. 얼마 전까지 새로운 유행을 반영한 옷이 시장에 나오는 데는 6개월이 걸렸지만 이제 기업들은 단 2주 만에 신제품을 매장에 선보인다. 더 빠른 유행의 속도는 더 많은 이익을 보장하기에 더 빨리 더 많이 생산하고 판매하는 것이 이들의 주된 업무라고 할 수 있다. 이러한 전략은 저렴한 비용으로 유행을 따를 수 있다는 점에 소비자들이 열렬히 호응하면서 성공할 수 있었다. 최신 유행을 반영한 옷을 싼 가격에 살 수 있게 된 소비자의 입장에서는 이러한 흐름을 마다할 이유가 없는 것이다.

하지만 유행은 어느새 바뀌고 몇 번 입지도 않은 옷은 더 이상 입지 못할 옷이 되어서 가차없이 버려진다. 그린피스의 2016년 보도 자료에 따르면 전 세계에서 한 해 생산되는 의류의 양은 약 880억 점이다. 그중 4분의 3은 소각되거나 매립된다. 버려지는 옷과 직물 중 65퍼센트는 합성 섬유로 만들어진 것이기에 매립해도 좀처럼 썩지 않고, 태우면 유해 물질을 내뿜어 환경이 오염된다. 옷의 재료인 면화를 생산하는 과정에서 사용되는 살충제의 양 역시 전 세계 살충제 사용량의 16퍼센트에 달하는데 이러한 맹독성 살충제는 토양에 스며들어 동식물을 고통스럽게 하고 있다.

가톨릭대학교
THE CATHOLIC UNIVERSITY OF KOREA

지원학부(과)

수 험 번 호			

주민등록번호 앞6자리(예:040512)					

성   명

1번 답안   (반드시 해당 문제와 일치 하여야 함)

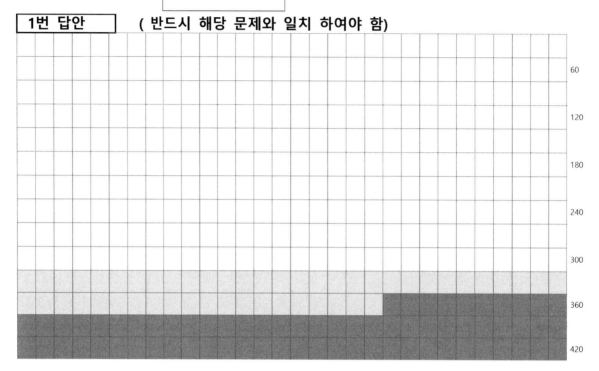

[문항 2] (다)를 참고하여, (가)와 (나)의 필자가 세계를 바라보는 태도를 각각 설명하시오. (띄어쓰기 포함 500~600자 / 40점)

(가)

농부는 저마다 논밭에 심고 가꾸는 것이 아닌 것은 죄다 잡풀이라고 한다. 자기에게 필요할 때는 나물도 되고 화초도 되고 약초도 되는 풀도 필요가 없을 때는 잡풀이 되는 것이다. 잡풀로 그치는 것만이 아니다. 논밭에 나서 서로가 살려고 작물과 경쟁을 할 때는 여지없이 농부의 원수가 되어 낫에 베이거나 호미에 뽑히거나 농약에 마르거나 하여 덧없이 죽어 가기 마련이다. 논밭의 작물은 주인의 발소리에 자란다는 말을 들을 때 잡풀의 서러움은 그 무엇에 견주어 말한대도 성에 찰 리가 없을 터이다.

(나)

우리 라코타족에게는 모든 생명체가 인격을 갖추고 있다. 오직 그 모습만 우리와 다를 뿐이다. 모든 존재들 속에 지혜가 전수되어 왔다. 세상은 거대한 도서관이었으며, 그 속의 책이란 돌, 풀, 나뭇잎, 실개천, 새, 들짐승이었다. 그들은 우리와 마찬가지로 대지의 성난 바람과 부드러운 축복을 나눠 가졌다. 자연의 학생만이 배울 수 있는 것을 우리는 배웠는데 그것은 바로 아름다움을 느끼는 것이었다. 우리는 결코 폭풍이나 난폭한 바람, 찬 서리와 폭설에 악담을 퍼붓지 않았다. 무엇이 우리 앞에 닥쳐오든지 우리는 필요하다면 더 많은 노력과 힘으로 우리 자신을 적응시켰다. 하지만 불평하지 않았다.

(다)

사회 불평등 현상을 설명하는 주요 이론으로 기능론과 갈등론이 있다. 기능론의 관점에서 보면 사회에는 기능적으로 더 중요한 일과 덜 중요한 일이 있다. 각각의 일은 적절한 자질과 능력을 갖춘 사람들이 수행하게 된다. 사람들의 사회적 지위와 보수는 각자가 맡은 역할의 중요성과 역할 수행 능력의 차이에 따라 정해진다. 그러므로 사회적 불평등은 불가피하다.

한편 갈등론의 관점에서 보면 기득권을 가진 지배집단 때문에 사회적 갈등이 생긴다. 기능적으로 더 중요한 일과 덜 중요한 일의 구별은 지배집단이 자의적으로 정한 것이다. 그리고 지배집단은 희소가치를 가진 자원을 자신들에게 유리하게 분배한다. 그러므로 사회적 불평등은 집단 간의 갈등을 부추긴다.

 가톨릭대학교
THE CATHOLIC UNIVERSITY OF KOREA

지원학부(과)

수 험 번 호

주민등록번호 앞6자리(예:040512)

성 명

2번 답안   (반드시 해당 문제와 일치 하여야 함)

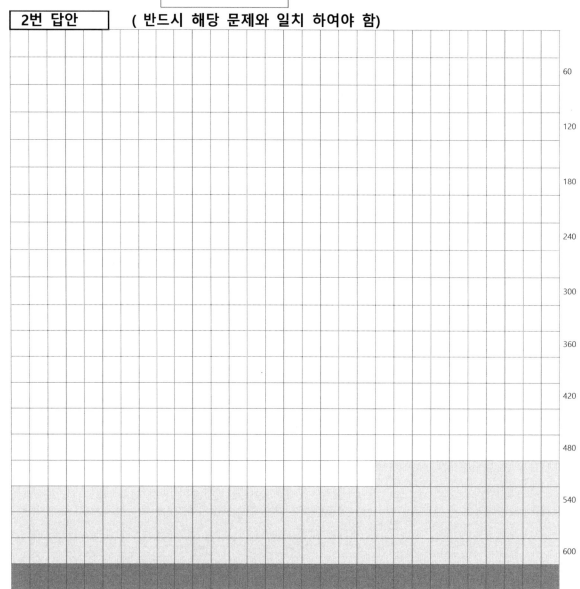

[문항 3] (가)의 이계심의 행위에 대해 정약용이 내린 판결을 (나)와 (다)를 토대로 정당화하시오. (띄어쓰기 포함 500~600자 / 40점)

(가)

　1797년 다산 정약용이 황해도 곡산부사로 부임하는 길에 한 남자가 그의 앞을 가로막았다. 사내의 이름은 이계심(心). 전임 수령 시절 1000여 명의 주민을 이끌고 수령에게 항의하다 관군을 피해 산으로 도망갔다던 사람이었다. 조정에서는 이 사건을 민란으로 간주하고 산으로 도주한 이계심을 잡기 위해 훈련도감을 포함한 오군영의 군사들까지 파견했지만 번번이 그를 잡는 데 실패했다.

　그랬던 그가 제 발로 정약용 앞에 나타났다. 정약용은 이계심을 포박하거나 목에 칼을 채우지 않고 관아로 데려가 갑자기 나타난 연유를 물었다. 이계심은 정약용에게 10여 조목이 적힌 문서를 건넸다. 거기에는 전임 수령 시절 서리들이 군포 대금으로 200전을 걷어야 하는데 백성들에게 무려 900전이나 걷어 뒤로 빼돌린 사실이 적혀 있었다. 이에 백성들의 원성이 이어졌고 이계심이 우두머리가 돼 1000여 명을 모아 관에 들어와 호소한 것인데, 오히려 서리와 관노들이 몽둥이를 들고 와 벌을 주려고 했다. 그와 1000명의 백성들은 물러날 수밖에 없었고, 결국 그는 죄인으로 몰려 고통을 당할 수밖에 없었다. 정약용은 여러 정황을 정확히 파악하고 곧바로 이계심에게 무죄 방면을 내렸다. 그러면서 "한 고을에 모름지기 너와 같은 사람이 있어 형벌이나 죽음을 두려워하지 않고 만백성을 위해 그들의 원통함을 폈으니, 천금은 얻을 수 있을지언정 너와 같은 사람은 얻기가 어려운 일이다. 오늘 너를 무죄로 석방한다."라고 말했다.

(나)

　모든 사회에서는 규범 체계를 통해 사회 구성원에게 사회가 기대하는 행동을 하도록 요구한다. 그런데 모든 사회 구성원이 사회에서 기대하는 행동 방식을 따르는 것은 아니다. 즉 일탈 행동을 저지르기도 하는 것이다. 일탈 행동은 사회적으로 허용된 행동 범위를 벗어난 행동으로서 비난이나 처벌 등 사회적 제재의 대상이 된다. 일탈 행동이 만연하면 사회 구성원 간에 신뢰감이 떨어지기도 하고, 사회 불안정을 초래할 수 있다.

(다)

　일상생활을 하다 보면 부당한 권위나 착취 때문에 차별이나 고통을 받는 상황이 생길 수 있다. 이 경우 우리는 헌법과 법률이 보장하고 있는 시민 참여 방법들을 통해 부당한 권위나 착취의 개선을 요구할 수 있다. 그러나 합법적인 수단만으로 해결이 불가능하다면 최후의 수단으로 시민 불복종과 같은 방법을 선택할 수 있다. 이러한 시민 불복종이 정당성을 인정받기 위해서는 개인적인 이익을 배제한 공공의 이익 증진이 수반되어야 한다. 또한 불법적인 행위에 따르는 처벌을 감수하려는 자세가 필요하다. 나아가 폭력을 수반하는 행동을 해서는 안 된다.

가톨릭대학교
THE CATHOLIC UNIVERSITY OF KOREA

지원학부(과)		수 험 번 호				주민등록번호 앞6자리(예:040512)					

성 명

3번 답안 (반드시 해당 문제와 일치 하여야 함)

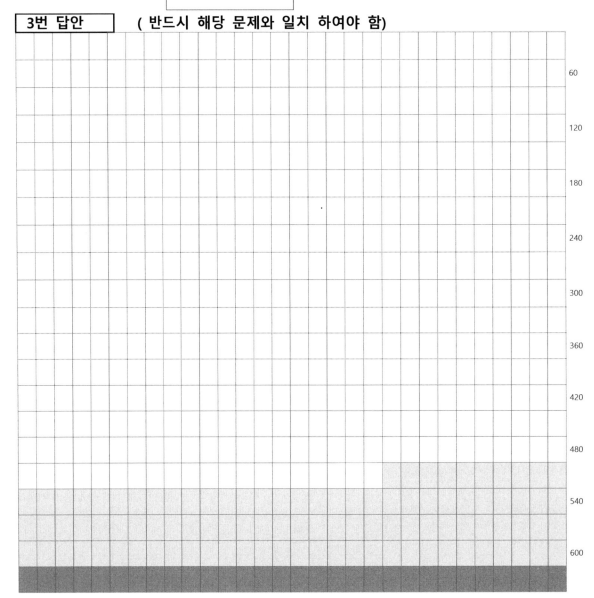

8. 2021학년도 가톨릭대 수시 논술

[문항 1] '자장면'과 '짜장면'을 표준어로 인정하게 된 각각의 근거를 (가), (나)에 제시된 표기법 및 원칙을 이용하여 설명하시오. (300~350자 / 20점)

(가)

국어 사용의 기준이 되는 중요한 규범 중 하나로 표준어 규정을 들 수 있다. 표준어 규정의 핵심인 표준어 사정(査定) 원칙을 살펴보면, 제 1항에서 표준어는 교양 있는 사람들이 두루 쓰는 현대 서울말로 정한다는 원칙을 제시하고 있다. 제 2항에서는 외래어의 표준어 사정은 별도의 규정을 두어 실시한다고 밝히고 있다. 표준어를 결정하는 데에는 사회적, 시대적, 지역적 기준을 적용하지만 외래어를 심사하여 표준어 여부를 결정하는 데에는 그러한 기준을 적용하기가 어렵다. 그렇기 때문에 외래어 심사에 대한 기준을 따로 마련할 필요가 있고, 이에 따라 외래어는 외래어 표기법을 기준으로 별도로 심사하여 표준어 여부를 결정한다.

외래어 표기법에는 여러 가지 원칙들이 필요하다. 왜냐하면 우리말과 외국어는 음운체계가 다르므로 통제할 수 있는 규칙이 없다면 사람마다 외래어를 다르게 적을 가능성이 매우 높기 때문이다. 외래어 표기법의 기본 원칙은 외국어 본래의 발음을 반영하여 표기해야 한다는 것이다. 하지만 이미 굳어진 외래어는 관용(慣用)을 존중한다는 원칙이 있기 때문에 camera, radio 등은 '캐머러', '레이디오우'가 아니라 '카메라', '라디오'로 표기해야 한다.

(나)

짜장면의 어원은 '볶은 장을 얹은 면'이란 뜻' 중국어 '작장면'(炸醬麵·zhajiangmian)이다. 1986년 국어연구소(현 국립국어원)는 'zh음을 ㅈ으로 쓴다'는 외래어 표기법에 따라 자장면을 유일한 표준어로 정했다. 이 결정에 따라 1950년대 이후부터 많은 사람들이 사용했고 이미 굳어진 말인 짜장면은 하루아침에 비표준어가 되어 버렸다. 즉 자장면은 바른말이고 짜장면은 틀린 말이 된 것이다. 이러한 결정에 많은 이들이 반발했다. 표기법에 집착하느라 대중이 사용하는 말과는 너무 다른 표기를 내세웠다는 지적이 쏟아졌다. 하지만 국립국어원은 기존 원칙을 바꾸는 것은 최대한 신중해야 한다며 완강한 태도를 보였다.

자장면으로 표기하는 것이 대중에게 익숙하지 않고 불편을 준다는 주장이 계속되다가 마침내 짜장면 표준어 인정안이 2010년 2월에 국어심의위원회의 안건으로 올라갔다. 그 후 1년 반의 검토를 거쳐 2011년 8월에 국립국어원은 자장면과 짜장면을 복수 표준어로 인정한다고 밝혔다.

지원학부(과)		수 험 번 호				주민등록번호 앞6자리(예:040512)					

성 명

1번 답안 　　(반드시 해당 문제와 일치 하여야 함)

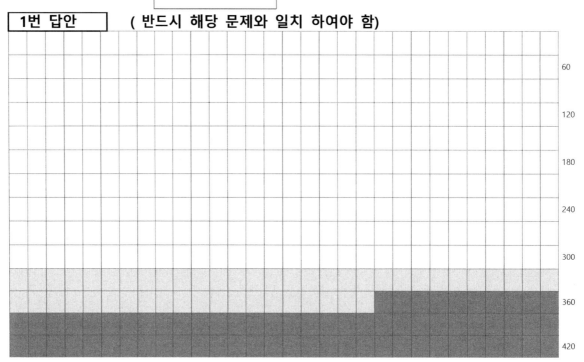

[문항 2] (가)의 내용을 토대로 (나)의 '직장인 이씨'와 (다)의 '종술'의 심리를 비교해서 서술하시오. (500~600자 / 40점)

(가)

관계주의 문화는 개인주의 문화에 비해 집단 내 관계를 중시하며 자신의 지위나 능력에 대한 판단도 상대방의 평가에 크게 의존하는 문화 유형이다. 관계의 힘이 클수록 개인의 자유 의지가 집단을 벗어나기 어려워 남의 주장에 자신의 의견을 일치시키려 하는 것은 관계주의 문화의 단점으로 자주 지적된다. 자신의 판단에 대한 확신도 외부에서 얻으려 하다 보니 자아가 약한 사람은 자신이 원하는 것을 알지 못해 주체적으로 행동하기 어렵다. 하지만, 자존감이 높으면 집단의 영향을 덜 받는 등 자존감의 수준에 따라 집단 내에서 자신의 위치를 전혀 다르게 인식할 수도 있다.

자존감은 개인이 자신에 대해서 내리는 '평가'이다. 자신에 대해 좋은 평가를 내리면 그 사람은 긍정적 정서를 느끼게 되고 이는 높은 자존감으로 이어진다. 그러나 스스로를 부정적으로 평가한다면 이는 자기에 대한 불만족으로 이어져 낮은 자존감을 형성하고, 실망과 좌절을 경험하게 된다. 이때 그 사람은 자기를 고양하여 자존감을 회복하고자 하는데 쉽게 고양할 수 있는 것은, 물리적 소유물로 자신을 드러내는 '물적 자기'이다. 자신을 빛나게 하는 물건이나 외양을 획득함으로써 자신이 남들보다 나은 사람이라고 생각하게 되는 것이다. 명품 소비, 성형수술이나 과시용 근육 단련, 장식만을 위한 가전제품의 구입, 혹은 지위를 상징하는 물건에의 집착 등 타인의 시선을 의식하며 소유물에 의존하는 것은 이러한 심리의 산물일 수 있다.

(나)

최근 SNS 이용이 늘어난 **직장인 이씨**는 "반응을 유도하기 위해 내가 가진 명품가방이나 고급 자동차를 일부러 살짝 엿보이게 사진을 찍어 SNS에 올리기도 한다."며 "부럽다는 댓글을 보면 자존감이 높아진 느낌을 받는다."고 말한다. 이를 '타아도취'라는 신조어로 표현하는데 이 말은 타인의 반응을 통해서만 '나'를 인식하는 현상을 가리킨다.

타인의 판단과 취향이 곧 나의 삶에 영향을 주는 인터넷 시대에는 소비에도 '정답'이 존재한다고 말한다. 유경험자나 인기인들에 대한 일방적 신뢰가 높아지는 분위기가 형성되면 소비를 통해 그 집단에 속하고 싶은 심리가 강해지는 것이다. 인기 연예인이 착용한 액세서리, 다수가 '신상'이라고 지목하는 사물들에 다가가야 온라인 커뮤니티의 일원이 되었다는 안정감을 느낀다. 직장인 이씨의 경우는 명품의 사진을 SNS에 게시하여 특정 집단의 소비를 따르고 있을 뿐만 아니라 타인의 반응을 확인하고 있는 것이다.

(다)

고단했던 생애를 통하여 직접으로 간접으로 인연을 맺어 온 숱한 완장들의 기억이 주마등처럼 **종술**의 뇌리를 스쳤다. 완장에 얽힌 무수한 사연들로 점철된 완장의 역사가 바야흐로 흔들리기 시작하는 종술의 가슴을 유혹하고 있었다. 시장 경비나 방범들의 눈을 피해 목판을 들고 골목으로 끝없이 쫓겨 다니던 시절, 도로 교통법 위반이다 뭐다 해서 걸핏하면 포장마차에 걸려 오던 시비와 단속 등 돈을 벌어 보려고 몸부림치는 그의 노력 앞에는 언제나 완장들이 도사리고 있었다. 완장 앞에서는 선천적으로 약한 체질이었다. 제각각 색깔 다르고 글씨도 다른 그 숱한 완장들에 그간 얼마나 많은 한을 품어 왔던가. 그리고 다른 한편으로는 그 완장들을 얼마나 또 많이 선망해 왔던가. 아들한테서 저수지의 감시원으로 취직했다는 이야기를 듣고 운암댁은 삼 년 묵은 체증이 내려앉는 듯한 상쾌함을 맛보았다.

"월급이 많지 않은 만큼 허는 일도 별로 없구만요. 그저 감시원 완장이나 차고 슬슬 바람 쐬기 겸 제방이나....."

"뭣이여야? 완장이여?"

"예, 여그 요짝 왼팔에다 감시원 완장을 처억 허니 둘르고 순시를 돌기로 했구만요. 그냥 맨몸뚱이로 단속에 나서면 권위가 없어서 낚시꾼들이 대수롭지 않게 보고 말을 잘 안 들어 먹으니깨요."

"너 그것 안 둘르고 감시원 헐 수는 없었냐?"

당치도 않은 말씀이었다. 순전히 완장의 매력 한 가지에 이끌려 맡기로 한 감시원이었다. 그런데 그걸 두르지 말라는 이야기는 결과적으로 아들더러 언제까지고 개망나니, 먹고 대학생으로 그냥 세월을 보내라는 이야기나 마찬가지였다.

"에이 참, 엄니도! 엄니는 동네서 사람대접 조깨 받고 살라고 그러는 아들이 그렇게도 여엉 못마땅허요?"

가톨릭대학교
THE CATHOLIC UNIVERSITY OF KOREA

지원학부(과)	수 험 번 호	주민등록번호 앞6자리(예:040512)

성 명

2번 답안 (반드시 해당 문제와 일치 하여야 함)

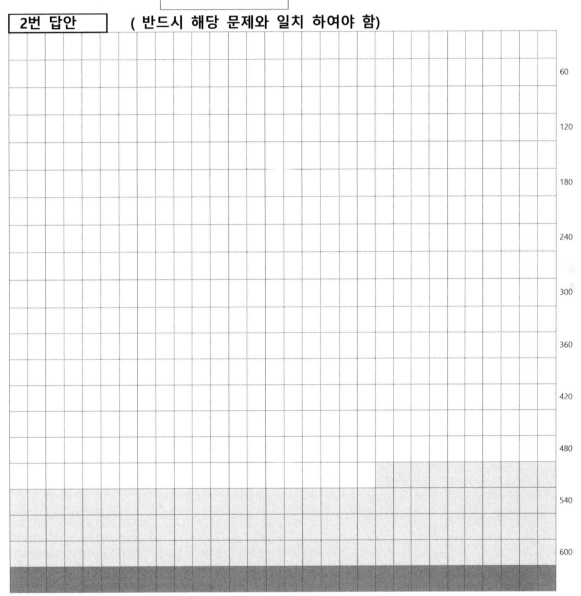

[문항 3] (가)에 제시된 국민연금 강제 가입에 대한 입장을 (나)와 (다)의 관점에 근거해서 반박하시오. (띄어쓰기 포함 500~600자 / 40점)

(가)

"제 노후는 저의 몫이니 국민연금 탈퇴시켜주세요. 낼 사람은 내고 안 낼 사람은 안 낼 수 있게 해주세요. 국민연금관리공단은 무슨 권리로 모든 국민의 돈을 뺏어가나요?"

2018년 9월, 국민연금제도개선위원회의 자문안이 공개된 이후 청와대 국민청원 게시판에 1600여 개의 청원이 쏟아졌다. 국민연금 재정 추계 결과, 연금 제도를 유지하려면 보험료율 인상이 불가피하다는 내용의 자문안이 공개되자 불만이 속출했다. 국민연금 제도를 폐지하라는 과격한 청원도 올라왔다.

국내에 거주하는 18세 이상 60세 미만의 소득 있는 사람은 의무적으로 국민연금에 가입해야 한다. 국민연금 강제 가입과 보험료 강제 징수에 대한 반대는 국민연금 제도가 시작된 이래 30여 년간 지속됐다. 1999년 6월에는 국민연금 가입자 김모씨 등 116명이 국민연금 제도가 조세법률주의, 재산권과 행복 추구권 등 기본권을 침해하고, 시장경제질서에 위배된다며 헌법소원을 내기도 했다. 본인 의사와 관계없이 강제 가입되고, 납입한 보험료 액수만큼 돌려 받지 못할 수도 있다는 것이 헌법소원 제기의 근거였다.

(나)

인간의 의사결정은 근시안적이다. 대부분의 사람들은 먼 미래의 노후를 대비하여 저축하는 고통을 감수하기보다는 현재의 소비를 통해 즐거움을 추구하려는 경향이 있다. 그 결과 많은 사람들이 노후에 이르거나 임박해서 후회하지만, 그땐 이미 너무 늦었다.

일부에서는 개인이 현재의 소비를 선호해 선택한 것이라면, 국가가 개입해서는 안된다고 주장한다. '자유를 신봉하는 사람은 개인들이 실수할 자유도 인정해야 한다.'고 주장하기도 한다. 그러나 노후 빈곤으로 굶어죽게 된다면, 그것도 개인 선택의 결과이니 어쩔 수 없다고 해야 할까.

《넛지》라는 책을 쓴 테일러 교수에 따르면, 인간은 인지능력과 의지력의 한계로 인해 늘 최선의 선택을 하는 것은 아니다. 흡연을 그만두고 싶고 은퇴 후를 생각해서 저축을 더 하고 싶지만 그렇게 하지 못하는 경우가 많다. 따라서 개인이 올바른 선택을 할 수 있도록 외부에서 적절한 간섭과 개입을 할 필요성이 있다.

(다)

국민연금은 국가가 보험방식으로 운영하는 노후 소득보장 제도로, 모든 국민이 의무 가입대상자이다. 그런데 만약 국민연금 가입이 개인의 자발성에 기초한다면, 국민연금의 소득재분배 기능 때문에 손해를 보는 고소득집단은 대체로 민영연금으로 빠져나가고 국민연금에는 보호의 필요성이 가장 큰 저소득집단만 주로 남게 될 것이다. 그렇게 되면 저소득계층에게 적절한 급여를 제공하는 데 필요한 재원 확보가 어렵게 되어 보험료를 인상할 수밖에 없고, 이는 다시 저소득집단 내에서 상대적으로 소득이 높은 계층이 빠져나가는 등의 악순환으로 이어져 국민연금 제도는 더 이상 존립할 수 없게 된다.

이처럼 가입자의 선택에 의해 평균치보다 보험사고 발생 가능성이 높은 집단이 순차적으로 남게 되는 현상을 역(逆)선택이라고 하는데, 자발적인 국민연금 가입은 심각한 역선택의 문제를 야기하여 국민연금의 존립을 위협하게 될 것이다.

민영연금의 경우 이런 역선택의 문제를 사전 자격심사를 통해 해결한다. 즉 민영연금은 건강이 나쁜 사람, 위험직종 종사자, 도덕성이 낮은 사람들에 대한 사전 자격심사와 이에 기초한 높은 보험료율 부과 등을 통하여 보험사고 발생 가능성을 낮춘다. 하지만 민영연금의 한계는, 보험이 가장 필요한 사람들은 사실상 배제되고 결국 고소득계층만이 가입하여 노후를 보장받게 된다는 것이다.

한편 국민연금은 사회보험이기 때문에 자격심사를 통해 보험사고 발생 가능성이 높은 개인들의 가입을 사전적으로 막는 것이 불가능하다. 앞서 언급하였듯이 국민연금의 자발적 가입을 인정하게 되면 역선택 현상이 계속되고 종국에는 국민연금의 존립 자체가 위태롭게 될 것이다. 결국 국민연금의 의무 가입 없이는 전 국민의 노후 소득 보장이라는 궁극적 목표 달성은 불가능하다.

가톨릭대학교
THE CATHOLIC UNIVERSITY OF KOREA

지원학부(과)	수 험 번 호	주민등록번호 앞6자리(예:040512)

성 명

3번 답안　　　(반드시 해당 문제와 일치 하여야 함)

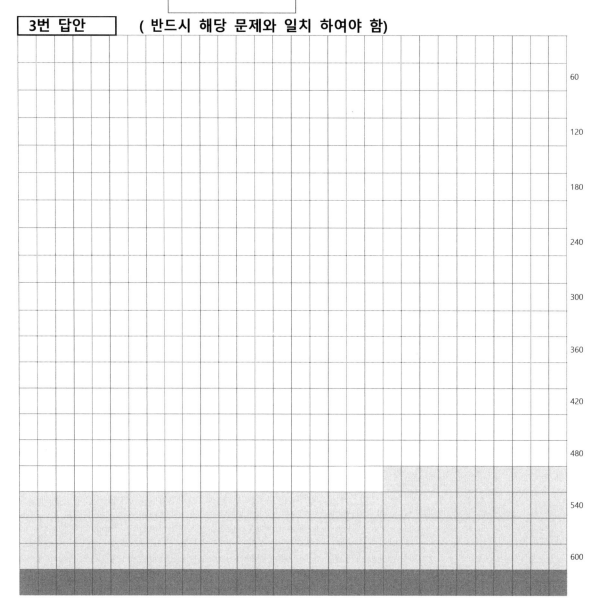

9. 2021학년도 가톨릭대 모의 논술

[문항 1] (가)를 참고하여, (나)의 바슐라르와 (다)의 필자가 행복을 실현한 공통적인 방법이 무엇인지 설명하시오. (띄어쓰기 포함 300~350자 / 20점)

(가)

 행복에 영향을 미치는 기준으로 흔히 건강, 직업, 소득, 주거, 가족관계, 공동체와 친구 등을 든다. 하지만 이러한 객관적 기준이 아무리 잘 충족된다고 하더라도 다른 요인 때문에 삶에 대해 느끼는 만족감이 떨어진다면 진정으로 행복하다고 말하기 어렵다. 반면에 객관적 기준이 충족되지 못한 경우일지라도 자신이 처한 상황을 어떤 자세로 바라보느냐에 따라 얼마든지 행복해질 수 있다.

(나)

 프랑스의 철학자 바슐라르는 북적이는 파리 한복판의 아파트에 살면서도 숲속이나 벌판의 오두막집에 평온하게 머무르는 듯이 지냈다. 밤늦게 책을 읽는데 옆집에서 못 박는 소리가 들려온다든가 할 때에도 자신을 귀찮게 하는 모든 것, 모든 소리에 관해 평정을 유지하는 방법을 잘 알고 있었다. 시끄러운 망치 소리를 들으면서도 "저건 아카시아나무를 쪼고 있는 내 딱따구리란 말이야." 하고 중얼거릴 만큼 그 소리들을 '자연화'하는 비범한 재주를 가지고 있었던 것이다.

(다)

 남들은 멀쩡히 잘도 걸어 다니는데 왜 하필이면 나만 목발에 의지해야 하고, 어떤 사람은 펜만 잡으면 멋진 글이 술술 잘도 나오는데 왜 하필이면 나만 이 짤막한 글 하나 쓰면서도 머리를 벽에 박아야 하는가. 나는 노래, 그림, 손재주 그 어느 것 하나 내세울 게 없다. 하느님은 누구에게나 나름대로의 재능을 골고루 나눠주신다지만, 아무리 생각해도 '하필이면' 나만 깜빡하신 듯하다.

 어제는 집에 오는 길에 길거리에서 귀여운 곰인형을 하나 사서 초등학교 2학년인 조카에게 갖다 주었다. 조카는 눈을 동그랗게 뜨고 환한 미소를 지으며, "그런데 이모, 이걸 왜 하필이면 내게 주는데?" 하는 것이었다. 조카가 외국에서 살다 와 우리말이 조금 서투른 탓에 '하필이면'을 부적합하게 쓴 것이었다. 그런데 '하필이면'을 좋은 상황에 갖다 붙이자 나의 하필이면 운명도 갑자기 찬란한 빛을 발하기 시작했다.

 도대체 내가 전생에 무슨 좋은 일을 했기에 하고많은 사람들 중에 하필이면 내가 훌륭한 부모님 밑에 태어나 좋은 형제들과 인연 맺고 이 아름다운 세상을 살고 있는가. 아무리 노력해도 헐벗고 굶주리는 사람들이 그토록 많은데 왜 '하필이면' 내가 먹을 것 입을 것 걱정 없이 편하게 살고 있는가.

가톨릭대학교
THE CATHOLIC UNIVERSITY OF KOREA

지원학부(과)

성　　명

수　험　번　호				

주민등록번호 앞6자리(예:040512)					

1번 답안　　(반드시 해당 문제와 일치 하여야 함)

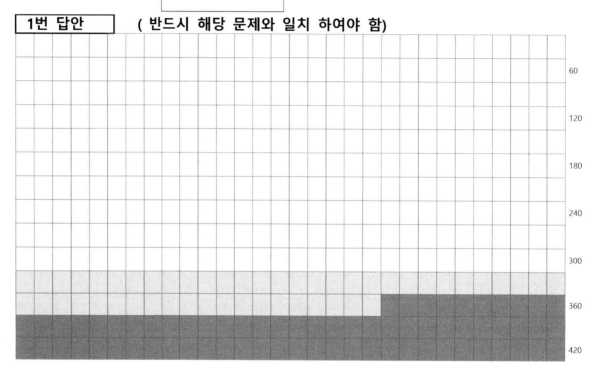

가톨릭대학교
THE CATHOLIC UNIVERSITY OF KOREA

[문항 2] (가)에 제시된 뉴미디어 현상을 (나)와 (다)의 관점에서 분석하고 비판하시오. (띄어쓰기 포함 500~600/40점)

(가)

유튜브는 이용자 기호와 취향에 최적화한 '추천 알고리즘'을 통해 특정 동영상을 시청하면 계속해서 이용자가 즐겨 볼 만한 관련 동영상을 추천해주는 방식으로 이용자를 붙잡아 둔다. 이용자로서는 더 보고 싶은 동영상을 재검색하지 않아도 되기 때문에 자연스럽게 유튜브 체류 시간이 늘어난다. 그러나 인공지능이 선호 콘텐츠를 눈앞에 제시해주는 기술은 양날의 칼과 같다. 유튜브, 페이스북 등 뉴미디어가 이용자 맞춤형 정보를 제공하면서 이용자는 제 입맛에 맞게 걸러진 정보만 접하게 되고, 그로 인해 정치·사회적 이슈에서 자신의 고정관념과 편견만 더 강화하게 되는 것이다.

(나)

심의 민주주의는 시민들이 서로 소통하면서 집단의 의사를 형성해 가는 민주적 과정을 강조하는 방식이다. 시민이 공공의 문제를 토론하고 심의하는 과정에 참여함으로써 집단의 의사형성에 관여하는 것이다. 롤스는 《만민법》에서 심의 민주주의를 다음과 같이 설명했다. "심의 민주주의를 규정하는 것은 심의 개념 자체이다. 시민이 정치적 문제들을 심의할 때, 그들은 의견을 교환하고 자신들이 지지하는 근거들을 토론한다. 이들은 다른 시민들과 토론하면서 자신들의 정치적 의견이 수정될 수 있음을 가정한다."

(다)

존 스튜어트 밀은 《자유론》에서 이렇게 말했다. "진리와 오류 사이의 논쟁은 진리를 더욱 분명히 이해하고 깊이 깨닫는 데 없어서는 안 될 필수 요소이다. 그러나 서로 대립하는 두 주장 가운데 하나는 진리이고 다른 하나는 틀린 것으로 확연히 구분하기보다는 각각 어느 정도씩 진리를 담고 있는 경우가 더 일반적이다. 이럴 때 통설이 채우지 못하는 진리의 빈 곳을 채울 수 있도록 그 통설에 도전하는 이설(異)의 존재가 반드시 필요하다. 다수가 받아들이는 의견이 비록 올바른 기초 위에 서 있을지라도 이처럼 부분적인 진리밖에 가지고 있지 않다면, 그런 통설이 빠뜨리고 있는 진리의 어떤 부분을 구현하는 다른 모든 생각은, 그것이 아무리 많은 오류와 혼돈을 초래하더라도, 마땅히 소중히 다루어져야 한다. 그럴 때만 진보와 개선이 가능 하다."

가톨릭대학교
THE CATHOLIC UNIVERSITY OF KOREA

지원학부(과)		수 험 번 호				주민등록번호 앞6자리(예:040512)					

성 명

2번 답안   (반드시 해당 문제와 일치 하여야 함)

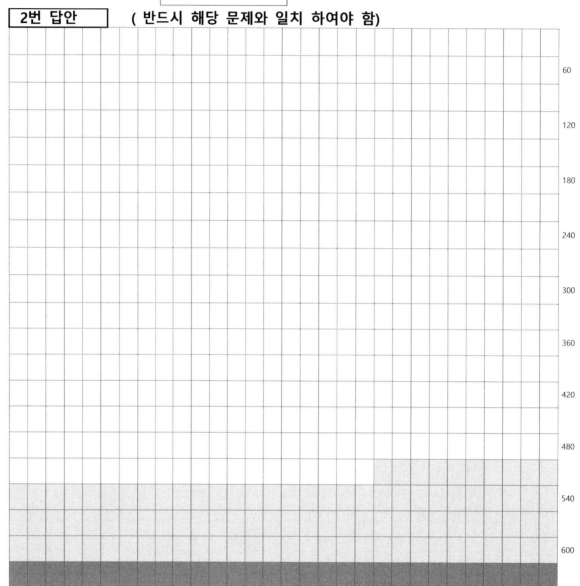

[문항 3] (가)와 (나)에 근거하여, (다)에서 헌법소원을 제기한 대형유통업체의 주장이 타당한지를 논하시오. (띄어쓰기 포함 500~600자 / 40점)

(가)

　우리 헌법에서 보장하는 기본권 중 평등권은 국가가 국민을 차별하지 않고 평등하게 대우해 달라고 요구할 수 있는 권리이다. 평등권에서 의미하는 평등은 일체의 '다른 취급'을 금지하는 절대적, 형식적 평등이 아니라, 같은 것은 같게 다른 것은 다르게 취급하는 상대적, 실질적 평등을 의미한다. 즉 다른 취급에 합리적인 이유가 있으면 그것은 정당한 것이고, 다른 취급에 합리적인 이유가 없으면 그것은 차별로 보아 금지한다.

(나)

　계획경제 체제에서는 정부의 계획과 명령에 따라 경제 문제를 해결한다. '무엇을 얼마나 생산할 것인가,' '어떤 방식으로 생산하고 누구에게 분배할 것인가' 등을 정부의 계획에 따라 결정한다. 계획경제 체제는 정부가 생산수단을 소유하고, 명령과 통제에 따라 정책을 강력하게 집행한다. 이와는 달리, 시장경제 체제는 경제 문제를 시장에 맡겨 해결한다. 즉 현실에서 직면하는 경제 문제를 이해 당사자들이 시장을 통해 자유롭게 해결하도록 하는 것이다. 이러한 체제에서는 대부분의 경제 활동은 시장에서 민간 경제 주체들이 스스로 결정하여 실행한다. 그렇다면 우리나라의 경제 체제는 어떠한가? 한마디로 혼합경제 체제라고 할 수 있겠다. 즉 우리의 경제 질서는 시장경제를 기본으로 하면서도 사회정의 공정한 경쟁질서, 경제민주화 등을 실현하기 위해 국가의 규제와 조정을 허용하는 사회적 시장경제라고 하겠다.

(다)

　유통산업 발전법 12조에서는 대형마트의 일요일 영업을 제한하고 있다. 이에 대해 대형유통업체 관계자들은 소형마트는 규제하지 않으면서 대형마트만 일요일 영업을 제한하는 것은 불공정하다는 입장을 표명했다. 전통시장과 중소유통업자들을 살릴 수 있는 다른 방법들도 있을 터인데 굳이 대형마트를 표적으로 불평등한 규제를 할 필요가 있느냐는 지적을 하면서, 그러한 규제는 자유로운 경제활동을 보장하는 시장경제의 정신에 배치되는 것이므로 철폐되어야 한다고 주장하였다. 반면에 소형마트나 전통시장 관계자들은 대형마트의 영업제한이 필요하다는 입장을 표명하였다. 유통업체 간의 현격한 규모의 차이로 인하여 경쟁의 공정성이 침해받고 있으며 그 결과 전통시장과 중소유통업자들이 위기에 처하였으므로, 심각한 시장의 불균형이 초래되기 전에 중소유통업자들의 경쟁력이 다시 확보되어야 하며, 대형마트의 영업제한은 그런 면에서 도움이 될 수 있다고 주장한다. 이렇듯 양측의 견해가 대립되는 와중에 대형유통업체 관계자들은 일요일 영업을 제한한 유통산업 발전법 12조에 대해 헌법소원을 제기하였다.

가톨릭대학교
THE CATHOLIC UNIVERSITY OF KOREA

지원학부(과)		수 험 번 호					주민등록번호 앞6자리(예:040512)					

성 명

3번 답안　　(반드시 해당 문제와 일치 하여야 함)

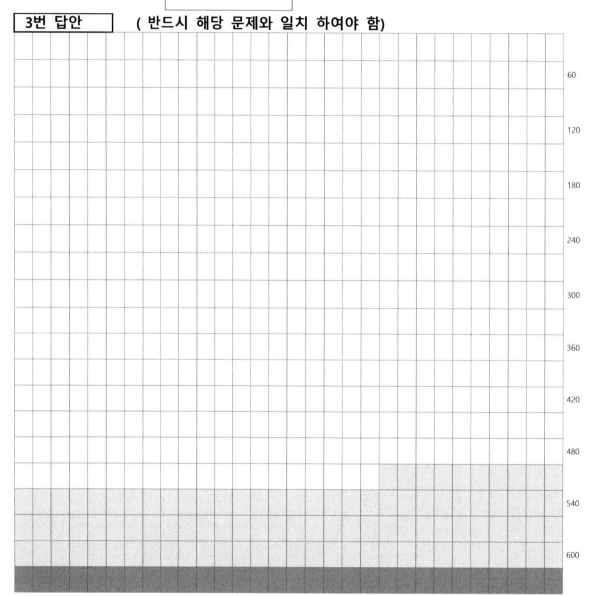

10. 2020학년도 가톨릭대 수시 논술

[문항 1] (가)의 사례를 읽고, 경제적 인간과 공익에 대한 (나)의 관점을 비판하시오. (띄어쓰기 포함 300~350자 / 20점)

(가)

하나의 어장에서 두 명의 어부가 그물로 물고기를 잡는다. 어장의 크기, 물고기의 산란기 등을 고려할 때, 한 사람 당 물고기를 잡을 수 있는 '적정 시간'이 정해져 있다. 두 사람이 '적정 시간'만큼 물고기를 잡으면 두 사람의 수확량은 동일하다. 그런데 한 어부가 욕심이 생겨 적정 시간보다 두 배 많은 시간 동안 물고기를 잡았더니 그의 수확량이 두 배로 늘었다. 문제는 한 사람의 작업 시간이 적정 수준보다 길어지면, 이 어장이 가지고 있는 한정된 조건으로 인해 다른 사람의 수확량이 영향을 받는다는 점이다. 그 결과 상대방 어부는 적정 시간만큼 일했는데도 수확량이 이전보다 줄어들었다. 이에 상대방 어부도 작업 시간을 적정 시간의 두 배로 늘렸더니 이번에는 어부 각각의 수확량이 모두 적정 시간 수확량에 비해 큰 폭으로 줄어들었다. 두 사람의 작업 시간이 모두 적정 수준을 넘어섬으로써 어린 물고기까지 싹쓸이하는 남획이 일어나 두 사람 모두 피해를 보는 상황이 벌어진 것이다.

(나)

경제적 인간이란, 판단이 합리적이며 자신의 물질적 이익만을 추구하는 사람을 의미한다. 여기에서 '합리적'이라는 말은, 자신의 기호가 뚜렷하며 그 기호를 토대로 가장 만족할 수 있는 상황을 선택함을 의미한다. '경제적 인간'의 개념에는, 인간은 타인을 전혀 돌보지 않고 자신의 물질적 이익을 최대화하는 이기적 존재라는 생각이 포함되어 있다. 그렇다면 이러한 경제적 인간들이 모인 사회는 어떤 양상을 지닐까?

이와 관련하여 아담 스미스는 ≪국부론≫에서 다음과 같이 말했다. "우리가 식사를 할 수 있는 것은 정육점 주인, 양조장 주인, 빵집 주인의 자비심 덕분이 아니라 자기 자신의 이익에 대한 그들의 관심 때문이다. 우리는 이타심에 호소하지 않고 그들의 이기심에 호소하며, 그들에게 우리 자신의 필요 대신 그들의 이익을 이야기한다. 거지를 제외하면, 어느 누구도 동료의 자비심에 의지하지 않는다. 각 개인은 공공의 이익을 증진하려고 의도하지도 않았고, 또 자신이 얼마나 이바지했는지도 알지 못한다. 사회의 이익보다는 개인의 이익을 추구할 때, 훨씬 더 효과적으로 사회의 이익이 증가한다." 여기에서 아담 스미스는 경제적 인간의 이러한 이기적 행동이 사회 전체적으로 좋은 결과를 가져온다고 말하고 있다.

가톨릭대학교
THE CATHOLIC UNIVERSITY OF KOREA

지원학부(과)

성　　명

수 험 번 호			

주민등록번호 앞6자리(예:040512)					

1번 답안　　(반드시 해당 문제와 일치 하여야 함)

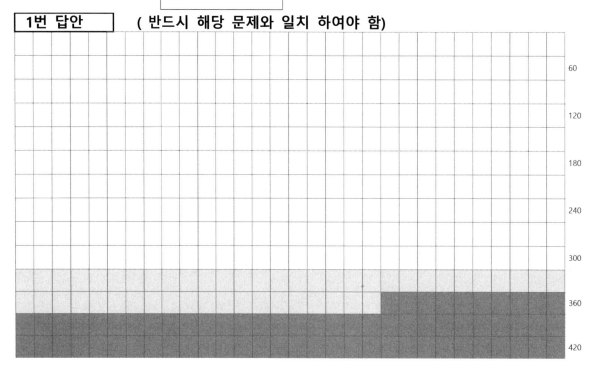

[문항 2] (가), (나)는 인간의 성장과 발달에 영향을 미치는 요인을 대립적 관점에서 서술하고 있다. 이 대립적 관점을 요약·제시하고, 이를 바탕으로 (다)의 쌍둥이 사례를 설명하시오. (띄어쓰기 포함 500~600자 / 40점)

(가)

사모아 사회는 평상적이고 평화롭다. 그렇게 될 수밖에 없는 이유는 성공이나 승리에 집착하지 않고, 어떤 의지를 관철하기 위해 다른 사람에게 억압적인 태도를 강요하지 않기 때문이다. 설령 갈등이 생기더라도 시시비비를 끝까지 가리기보다는 갈등을 최소화할 수 있는 대안이 제시되며, 극단적인 감정적 상태를 피할 수 있도록 노력한다. 아이를 양육할 때에도 서구 사회에서처럼 아이에게 집중적인 관심과 기대를 쏟아 부어 아이의 자아에 큰 부담을 주는 일은 없다. 이렇듯 사모아 사회는 전반적으로 스트레스가 없기 때문에 사모아 인들의 사춘기는 어렵고 혼란스러운 시기가 결코 아니다. 이는 서구의 청소년들이 경쟁적인 사회 문화 속에서 살거나, 자신의 삶을 포기하고 내키지 않는 삶을 살거나 하는 선택의 어려움을 겪는 것과 극명한 대조를 이룬다. 즉 사회 문화적인 차이로 말미암아 사모아 사람들의 사춘기는 서구인들의 사춘기와 매우 다른 양상을 보인다.

(나)

뇌의 성숙 과정은 사춘기 내내 지속된다. 초기에는 본능적 행동을 처리하는 뇌 뒤쪽에서 변화가 시작되어, 고도의 사고를 처리하는 뇌 앞쪽으로 서서히 진행된다. 아울러 논리를 담당하는 좌뇌와 정서를 담당하는 우뇌를 연결하는 뇌량이 두꺼워지며, 기억을 담당하는 해마와 판단을 내리는 전두엽의 연결 조직이 튼튼해진다. 이로써 이전보다 훨씬 더 많은 일과 변수를 생각하고 평가할 수 있게 된다. 최근 밝혀진 십 대의 뇌에 관한 사실 등을 기초로 하여 몇몇 학자들은 이른바 '적응적 사춘기' 이론을 제시했다. 이 이론에 따르면, 사춘기의 특징은 각 문화의 유형이나 특성에 상관없이 사실상 거의 모든 인간 문화에서 나타난다. 결과적으로 사춘기가 문화의 산물이라는 개념은 성립하지 않으며, 사춘기는 순수한 생물학적 개념이다.

(다)

알렉스와 미하엘은 자신들이 쌍둥이라는 사실을 모른 채 20년을 떨어져 살다가 우연히 인터넷에서 서로의 사진을 보고 만나게 되었다. 태어나자마자 한 명은 미국으로, 다른 한 명은 독일로 입양되었다. 일란성 쌍둥이인 이들은 똑같은 외모를 가지고 있었으며, 식성도 비슷해서 두 사람 모두 생선요리와 멜론을 좋아하고 삶은 당근을 싫어하였다. 뿐만 아니라 인지 능력 테스트에서도 경쟁력과 계획성, 자제력 등 측정 항목마다 수치가 거의 비슷하게 나왔다. 하지만 성격적인 측면에서는 차이를 보였다. 알렉스는 형제가 많은 집안에 입양되어, 많은 식구들과 어울리며 활달하고 적극적인 성격을 가진 청년으로 성장하였다. 대도시에서 유년기와 청소년기를 보낸 알렉스는 커뮤니티 야구팀과 농구팀에서 활약하면서 단연 두각을 나타내었고, 그 지역을 기반으로 하는 프로농구팀에 입단하는 꿈을 가지게 되었다. 반면에 미하엘은 도시 근교 작은 마을의 농장을 경영하는 가정으로 입양되었는데, 이 가정에는 미하엘 외에 다른 자녀가 없었다. 이로 인해 미하엘은 아버지와 함께 농장 일을 하면서, 독서를 즐기고 그림 그리기를 좋아하는 차분하고 조용한 성격의 청년으로 성장하였다.

 가톨릭대학교
THE CATHOLIC UNIVERSITY OF KOREA

지원학부(과)		수 험 번 호					주민등록번호 앞6자리(예:040512)					

성 명

2번 답안   (반드시 해당 문제와 일치 하여야 함)

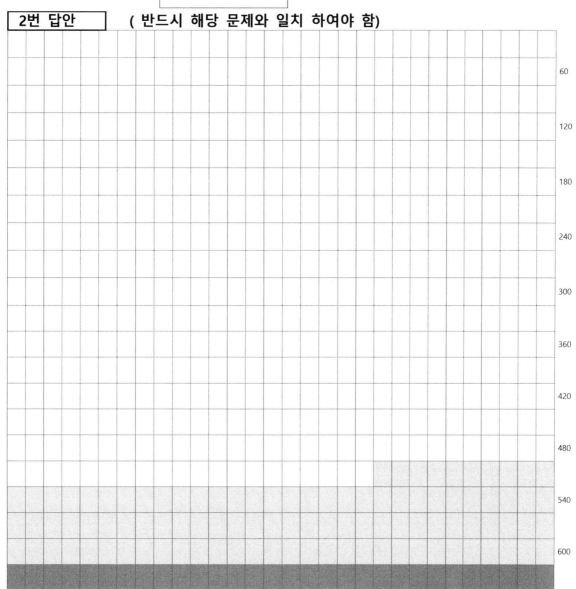

[문항 3] (가), (나), (다)는 각각 다른 관점에서 문명(과학기술)을 비판하고 있다. 문명(과학기술) 비판에 대한 (가), (나), (다)의 차이점을 비교·서술하시오. (띄어쓰기 포함 500~600자 / 40점)

(가)

 문명은 인간에게 의무의 길을 보여주는 행동 양식입니다. 의무의 이행과 도덕의 준수는 동의어입니다. 도덕을 준수하는 것은 마음과 열정에 대한 자제력을 얻는 것입니다. 그렇게 함으로써, 우리는 자신의 모습을 알아 갑니다. '문명'에 해당하는 구자라트 어는 '올바른 행동'을 의미합니다. 이 정의에 따르면 인도는 다른 누구로부터도 배울 것이 없으며, 배우지 말아야 하는 것입니다. 우리는 수천 년 전에 있었던 것과 똑같은 종류의 쟁기로 그럭저럭 일을 해 왔습니다. 앞선 시대에 살았던 것과 같은 오두막집을 갖고 있으며, 우리의 고유한 교육은 여전히 예전과 같습니다. 우리에게는 생명을 잠식하는 경쟁체계가 없었습니다. 각각 자신의 생업이나 무역에 종사하면서 적정한 보수를 받았습니다. 우리가 기계를 발명할 줄 몰랐다는 것이 아니라, 만약 그러한 것들에 마음을 빼앗기면 우리는 노예가 되고 도덕 정신을 상실할 것이라는 사실을 우리 조상들은 알았던 것입니다.

(나)

 인간은 삶에 대한 궁극적 의미를 끊임없이 추구하면서 살아 왔다. 이 궁극적 의미는 볼 수도 없고 보이는 것도 아닌 문제들, 이를테면 영혼의 세계, 죽음의 속성, 내세 등의 문제를 모두 포함한다. 과거의 사람들은 신화 속에서 이 궁극적 의미를 풀 수 있는 실마리를 찾았다. 신화를 믿고 따랐던 시대의 사람들은 신화체계 속에서 삶의 가치를 찾을 수 있었고, 그 의미에 따라 살아갈 수 있었다. 그런데 현대 사회에서 이러한 신화 체계는 많은 부분 허구임이 밝혀졌다. 저명한 신화학자 조셉 캠벨에 따르면, 오늘날의 세계는 인간 스스로의 힘으로 운명을 결정하려는 태도, 동력으로 움직이는 기계의 발명, 과학적인 연구 방법의 발달 등으로 인해 인간의 삶이 변형되었음을 보여주고 있다. 다시 말해 신화에서 나타나는 상상과 신비로움 등은 강력한 타격을 받아 산산조각 나고 말았으며, 이로 인해 시간을 초월해서 존재한다고 믿었던 신화 체계가 무너져 버린 것이다. 인간의 마음은 깨어있는 의식 쪽으로만 열려 눈에 보이는 것만 믿으려고 한다. 현대 사회에서 신화체계 속의 신과 영웅들은 이제 망원경과 현미경에 의한 탐색으로부터 숨을 곳이 없어졌다. 뿐만 아니라 한때 이들이 섬김을 받던 그런 사회도 이제는 없어졌다. 한때 신화체계로 가득 했던 우주와 자연은 이제 과학적 탐구와 개발이라는 착취의 대상으로밖에는 존재하지 않는다.

(다)

 <자동문 앞에서>
 이제 어디를 가나 아리바바의 참깨
 주문 없이도 저절로 열리는

자동문 세상이다
언제나 문 앞에 서기만 하면
어디선가 전자 감응 장치의 음흉한 혀끝이
날름날름 우리의 몸을 핥는다 순간
스르르 문이 열리고 스르르 우리들은 들어간다
스르르 열리고 스르르 들어가고
스르르 열리고 스르르 나오고
그때마다 우리의 손은 조금씩 퇴화되어 간다
하늘을 멀뚱멀뚱 쳐다만 봐야 하는
날개 없는 키위새
머지 않아 우리들은 두 손을 잃고 말 것이다
정작, 두 손으로 힘겹게 열어야 하는
그.
어떤,
문 앞에서는,
키위키위 울고만 있을 것이다

가톨릭대학교
THE CATHOLIC UNIVERSITY OF KOREA

지원학부(과)	수 험 번 호	주민등록번호 앞6자리(예:040512)

성 명

3번 답안 (반드시 해당 문제와 일치 하여야 함)

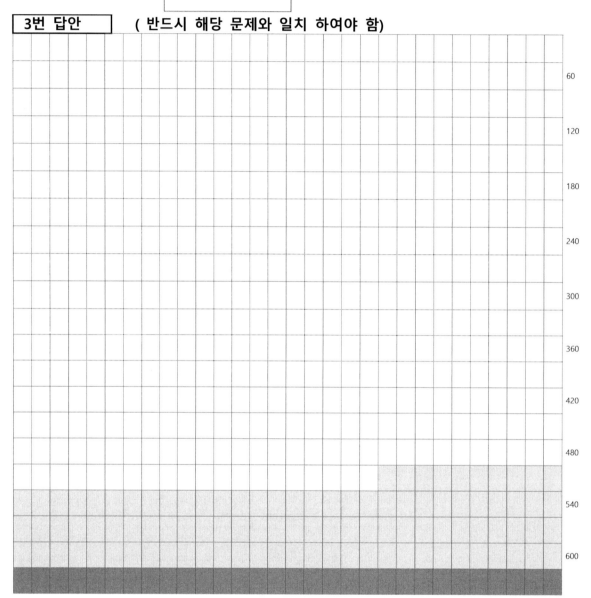

60
120
180
240
300
360
420
480
540
600

11. 2020학년도 가톨릭대 모의 논술

[문항 1] 제시문 (가)의 ①에서 ②로 발상을 전환하는 방식이 제시문 (나)의 ③에서 ④로 발상을 전환하는 방식과 다른 점이 무엇인지 설명하시오. (띄어쓰기 포함 300~350자 / 20점)

(가)

① 어미 새가 새끼에게 벌레를 먹이로 갖다 주는 모습을 본 적이 있는가? 자식을 사랑하는 부모의 모습은 사람이나 동물이나 다를 게 없음을 새삼 느끼게 된다. 참으로 아름답고 감동적이라 하지 않을 수 없다. 생명의 고귀함도 느껴진다.

② 그런데 그 새끼의 입에 들어가는 먹이 쪽 사정은 어떨까? 그 먹이의 가정은 어떻게 되었을까? 아마도 부모 중 한쪽을 잃었거나 눈에 넣어도 안 아플 자식을 잃었을 것이다. 한편 지금 먹이를 받아먹는 새끼들은 과연 어른으로 무사히 성장할 수 있을까? 아니 그 전에, 얼마나 많은 이 새끼들의 형제자매들이 알 속에서 세상 밖으로 나와 보지도 못한 채 다른 생물들의 먹이가 되었을까?

(나)

③ 행랑채 세 칸이 낡아서 수리하게 되었다. 그 중 두 칸은 비가 샌 지 오래되었는데 그것을 알고도 어물어물하다가 수리를 못하고 있었고, 다른 한 칸은 비가 한 번밖에 새지 않은 상태였다. 수리를 하려고 뜯어 보니, 비가 샌 지 오래된 두 칸은 서까래, 추녀, 기둥, 들보 등 재목이 모두 썩어서 못쓰게 되어 수리비가 많이 들었다. 비가 한 번만 샌 칸은 재목이 모두 완전하여 다시 쓸 수 있었기 때문에 경비가 적게 들었다.

④ 이제 생각해 보니 사람 몸도 마찬가지이다. 몸에 탈이 난 줄 알고서도 속히 치료하지 않으면 나무가 썩어서 못 쓰게 되는 것 이상으로 몸이 망가질 것이다. 또 사람이 잘못이 있더라도 적극적으로 애써 고치면 집 재목이 다시 쓰일 수 있는 것 이상으로 반듯한 사람으로 되돌릴 수 있을 것이다. 나라를 다스리는 일 또한 그와 같다. 어떤 일에서든지 백성들에게 피해가 갈 것을 고치지 않고 있다가 백성들이 고통을 받게 되고 나라가 위태롭게 된 다음에는 바로잡기가 어렵다. 그러니 어찌 조심하지 않을 수 있겠는가?

지원학부(과)	수 험 번 호	주민등록번호 앞6자리(예:040512)

성 명

1번 답안 (반드시 해당 문제와 일치 하여야 함)

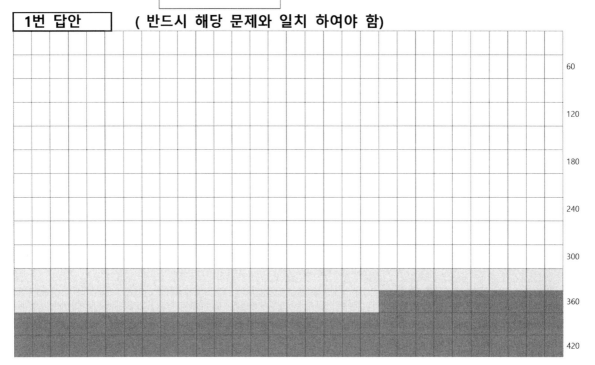

[문항 2] 제시문 (가)를 바탕으로 제시문 (나)에서 헉(Huck)이 보여준 태도의 문제점을 설명하시오. (띄어쓰기 포함 500~600자 / 40점)

(가)

　사람들은 자신의 행위를 결정할 때 자신의 이익이 아닌 다른 사람의 이익을 고려하기도 한다. 이처럼 자신의 이익보다 다른 사람의 이익을 먼저 생각할 수 있다는 의미에서 사람들은 도덕적이다. 사람들은 본래 동정심과 다른 사람을 배려하는 마음을 어느 정도 가지고 있다.

　그래서 개인이 도덕적이면 그 개인들로 이루어진 집단이나 사회도 도덕적일 것이라고 일반적으로 생각한다. 그러나 개인이 양심적이고 도덕적이라 해도 그러한 개인들로 구성된 사회는 이기적이고 부도덕할 수 있다. 개인은 어떤 행위를 결정할 때 다른 사람들의 이익을 더욱 존중할 수 있다는 점에서 '윤리적'이지만, 집단은 비록 그 구성원들이 윤리적이라고 해도 '이기적'으로 될 수 있다.

　집단의 도덕성이 왜 개인의 도덕성보다 더 낮은가? 개인들의 이기적 충동은 개별적으로 나타날 때보다 하나의 공통된 충동으로 결합하여 나타날 때 더욱 생생하게, 그리고 더욱 누적되어 표출되기 때문이다. 즉 개인적으로 행동할 경우 타인의 시선이나 책임에 대한 부담감 때문에 주저할 수 있지만, 집단의 구성원으로서 행동할 때에는 타인의 시선에서 더 자유롭고 책임도 분산된다고 생각할 수 있기 때문이다.

　사회는 개인들의 단순한 집합 이상이며, 집단은 개인들보다 더 비도덕적인 태도를 보일 수 있으므로 개인의 윤리적·사회적 행위는 사회 집단의 윤리적·사회적 행위와 구분될 필요가 있다.

(나)

　짐(Jim)은 헉(Huck)의 마을에 사는 흑인 노예이다. 그는 우연히 왔슨 아주머니가 올리언스 지방에 팔겠다는 말을 듣고 탈출을 시도한다. 잭슨 섬에서 헉이 도망친 짐을 우연히 만나게 되면서, 이 둘은 뗏목을 타고 미시시피 강을 따라 남쪽으로 여행한다. 그러나 짐이 갑자기 사라지면서, 두 사람의 여행은 위기를 맞는다.

　"짐!"

　그러나 아무 대답도 없었다. 숲속을 이리저리 뛰어다니면서 불러보고 소리를 질렀지만 소용이 없었다. 헉은 풀썩 주저앉아 엉엉 울었다. 그러나 언제까지나 울고 있을 수만은 없어, 그를 찾아 나섰다. 이쪽으로 걸어오는 사내아이 하나를 만나 이러이러한 옷차림을 한 검둥이를 본 일이 없느냐고 물었더니, 펠프스 씨 집에 잡혀있는 것을 보았다고 대답했다.

　헉은 뗏목으로 돌아와 곰곰이 생각했다. 짐이 40달러에 팔려 펠프스 씨의 노예가 될 바에야 가족들이 있는 고향에서 노예 노릇을 하는 편이 짐에게도 더 좋을 것이라는 생각이 들었다. 그래서 원래 주인인 왔슨 아주머니에게 펠프스 씨가 붙잡아놓고 있으니, 펠프스 씨에게 돈을 주고 짐을 다시 데려가라는 내용의 편지를 썼다.

　그러나 편지를 내려놓고 생각해 보았다. 먼저 강을 따라 내려오던 모험이 떠올랐다.

낮이면 낮, 밤이면 밤, 어떤 때는 달빛이 비치는 밤, 또 어떤 때는 폭풍우가 몰아치던 밤 서로 얘기를 나누고 노래를 부르며 웃어대면서 뗏목을 타고 강을 따라 내려왔었다. 웬일인지 짐에게 품었던 나쁜 감정은 전혀 머리에 떠오르지 않았다. 뗏목에 천연두 환자가 타고 있다고 하여 짐을 구해 냈을 때 짐이 아주 고마워하며, 세상에서 가장 좋은 친구이자 하나밖에 없는 친구라고 하던 일이 머리에 떠올랐다. 바로 그때 방금 써놓은 그 편지가 눈에 들어왔다. 헉은 그 편지를 다시 쥐어 들었다. 몸이 부들부들 떨렸다. 둘 중에서 어느 하나를 결정하지 않으면 안 되었다. 그는 숨을 죽이고는 잠시 생각한 끝에 이렇게 혼잣말로 중얼거렸다.

'좋아, 난 지옥으로 가겠어.' 그러고는 편지를 북북 찢어 버렸다.

헉은 짐이 있는 펠프스 농장에 도착했다. 그곳에서 헉을 톰 소여라고 착각한 샐리 아주머니를 만났다. 그녀는 왜 이리 늦게 왔나며 다그쳐 물었고, 헉은 증기 보트의 폭발로 늦었다고 대답했다. 그러자 샐리 아주머니는 놀라면서 인명 피해는 없었는지 물었다.

"어머나! 누구 다친 사람은 없었니?"

"없었어요. 검둥이가 하나 죽었을 뿐이에요."

"그건 참으로 다행이구나. 때때로 사람들이 다치기도 하는데, 그런 점에서 이번 사고는 정말 다행이야."

가톨릭대학교
THE CATHOLIC UNIVERSITY OF KOREA

지원학부(과)	수 험 번 호	주민등록번호 앞6자리(예:040512)

성 명

2번 답안 (반드시 해당 문제와 일치 하여야 함)

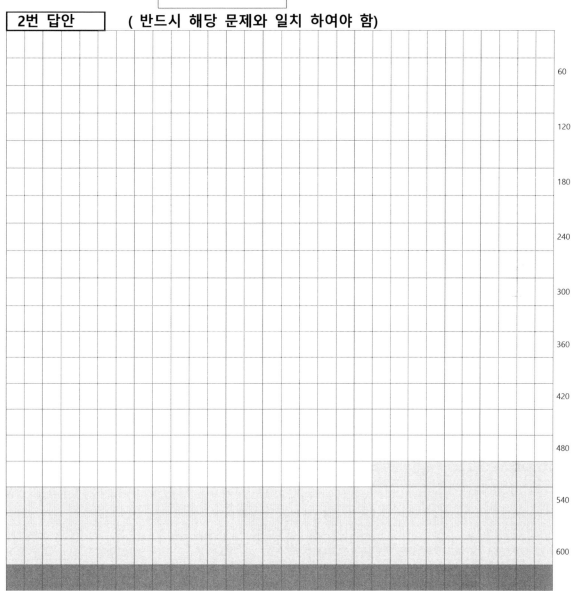

[문항 3] 제시문 (가)의 논점을 바탕으로 제시문 (나)와 (다)의 현상을 분석하시오.
(띄어쓰기 포함 500~600자 / 40점)

(가)

　영국이 인도를 식민 통치하던 시기 델리(Dehli) 지역에 많은 수의 코브라가 출현하여 주민들의 피 해가 속출하자 식민 당국은 이 뱀을 잡는 이에게 그 숫자만큼 보상금을 지급하겠다고 발표했다. 많 은 이들이 보상금을 타기 위해 코브라를 잡았기 때문에 정책은 성공을 거두는 듯이 보였다. 하지 만 얼마 지나지 않아 더 많은 보상금을 위해 사람들은 코브라를 인위적으로 기르기 시작했다. 이 를 알게 된 당국이 정책의 폐기를 선언하자 사람들은 이제는 쓸모 없어진 코브라를 방치했다. 그 결과 델리에는 정책이 시행되기 이전보다 오히려 더 많은 수의 코브라가 출몰했다.

(나)

　스웨덴, 노르웨이 등 북유럽 국가들은 국민 복지를 내세우며 세계에서 가장 앞선 복지 국가를 이루 어 나갔다. 영국도 1940년대부터 '요람에서 무덤까지'라는 표어 아래 복지 정책을 강력하게 실시해 왔다. 복지 정책의 발달로 국민은 국가로부터 최소한의 인간다운 생활을 보장받을 수 있는 권리를 누릴 수 있게 되었고, 사회생활 전반에서도 만족스러운 생활을 보장받을 수 있는 생활 조건이 확보 되었다.
하지만 복지 정책의 단점도 적지 않다. 정부의 과도한 복지 정책의 시행은 국민으로 하여금 일하지 않고 복지 정책과 사회 보장에 기대려는 성향을 불러 일으켰고, 사회 전체적으로 근로 의욕이 저하 되어 생산성과 효율성이 크게 떨어졌다. 또한, 복지정책의 허점을 틈탄 무임승차자들의 증가로 세 금이 낭비되고 있다. 예를 들어, 우리나라에서 고액 자산가들이 건강보험료를 부담할 능력이 되는 데도 직장 가입자의 피부양자로 등재되는 일이 빈발하고 있다. 또한 교묘하게 법망을 피해 국민기 초생활보장 수급자로 편입해 세금을 축내는 일도 발생하고 있다. 160만 명에 달하는 기초생활 수 급자 가운데 숨겨진 소득이나 재산이 적발되는 사례가 자주 발생하고 있다. 지난 2016년을 기준으 로 기초생활보장 급여 대상 88만 가구 중 9천 가구가 부정으로 수급한 사실이 드러나 급여 환수 조치를 당하기도 했다.

(다)

　어느 한 국가 내에서 내전이나 이에 준하는 분쟁이 발생했을 때 분쟁 당사자들이 자율적으로 갈등을 해결할 수 없다면 주변 국가나 국제 사회의 일정한 개입이 필요하게 된다. 현재 한 국가의 정부 가 자국민을 보호할 능력이나 의지가 없어서 반(反)인도적 범죄가 자행될 때 혹은 정부가 그러한 범죄 행위를 앞장서서 저지를 때 국제 사회가 이를 저지하기 위해 개입할 의무가 있다는 원칙이 국 제적으로 확립되고 있다. 물론 이러한 원칙이 실행에 옮겨지는 경우 여러 문제가 발생할 수 있다. 그 중 하나는 주변 국가나 국제 사회의 개입이 반인도적 범죄행위의 잠재적 피해자에 의해 악용될 소지가 있다는 것이다. 예를 들면, 세르비아가 지배하는 유고슬라비아로부터 정치적으로 독립하기 를 원하는 알바니아계 코소보 주민들의 노력이 한창 진행 중이 던 1990년대 말, 일단의 젊은 코소 보 분리주의자들이 그간의 비폭력 저항 운동이 별다른 성과를 거두지 못했다는 판단 하에, 국제 사회의 개입을 이끌어내기 위한 목 적으로 세르비아군 및 경찰과 의도적으로 무장 충돌하고, 그로 인해 발생할 코소보 알바니아인들의 희생을 국제 사회의 뜨거운 이슈로 만드는 극단적인 전략을 채택했 다. 이들은 폭력사태가 발생하고 반인도적 범죄행위가 자행될 경우 국제 사회가 개입 하리라 확신했다. 세르비아계 코소보인들과 알바니아계 코소보인들 간의 유혈 충돌로 수많은 피해자가 발 생하고 피해규모가 더 커질 것으로 보이자, 이들의 예상대로 미 국과 영국, 프랑스 등은 분쟁의 평화 적인 해결을 지지하던 기존 입장을 포기하고 군 사 개입을 결정했다.

가톨릭대학교
THE CATHOLIC UNIVERSITY OF KOREA

지원학부(과)

수 험 번 호

주민등록번호 앞6자리(예:040512)

성　명

3번 답안　　(반드시 해당 문제와 일치 하여야 함)

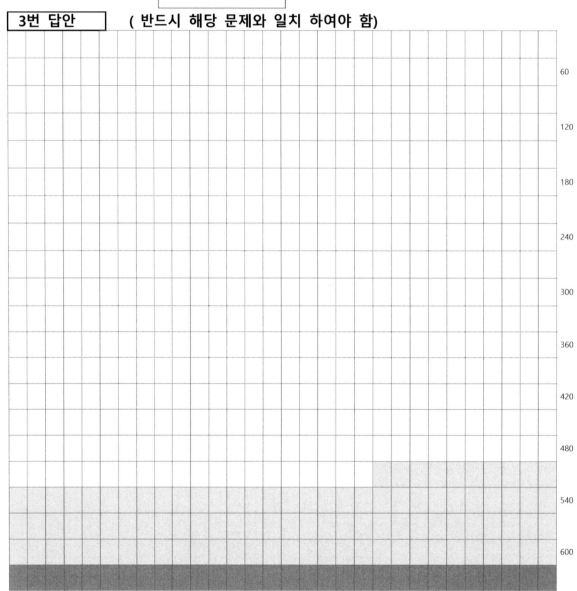

VI. 예시 답안

1. 2024학년도 가톨릭대 수시 논술

[문항 1] 밑줄 친 ㉠에 대해, (가)와 (나)의 공통점과 차이점을 서술하시오. (띄어쓰기 포함 300~350자/20점)

> (가), (나)는 '하늘'을 신적 존재가 아니라 그 자체로는 의지가 없는 '자연'으로 인식한다는 공통점을 보인다. 이때 자연은 계절, 시간 변화 등의 운행 원리 혹은 법칙을 지닌 것으로 설명된다. 이에 (가), (나)는 인간이 하늘 곧 자연의 법칙을 벗어날 수 없다고 주장한다. 그러나 (가)에서는 그 법칙을 벗어나지 않는 것이 이상적 세계에 이르는 길이라고 언급함으로써 자연의 한 부분에 불과한 인간은 하늘에 순응해야 한다는 주장을 펴고 있다. (나)에서는 인간이 자연 법칙을 벗어날 수는 없지만 그것에 대처할 수 있다고 주장한다. (가)와 달리, (나)는 하늘을 적절하게 활용하는 것이 인간에게 유리하다는 입장이다.
>
> (347자)

[문항 2] (가), (나), (다)를 요약하고 각각의 관점을 비교·분석하시오. (띄어쓰기 포함 500~600자/ 40점)

> (가)는 고전 독서를 할 때 책의 핵심적 사고와 진정한 가치를 알기 위해서는 작자 자신과 그가 살았던 시대에 대해 알아야 한다는 점을 역설하였다. 예를 들어 플라톤의 고전 『국가』를 읽을 때, 그가 살았던 시대가 펠레폰네소스 전쟁기로 잔인한 살육이 일상화된 시대였다는 점을 모른다면, 『국가』에 기록된 플라톤 사상의 혁신적 가치나 의미를 제대로 이해할 수 없다는 주장이다. (나)는 문학 작품을 비평할 때 작자, 독자, 시대와 같은 외재적 요소를 철저히 배제하고 작품의 내적 구조에 집중하는 '절대주의적 관점'을 소개하는 내용이다. 이러한 관점에 입각할 경우 윤동주의 「서시」는 작자가 처한 시대적 상황이 아닌 시어와 운율 등의 작품 내적인 요소를 통해서만 파악해야 한다. (다)는 과학사의 연구방법론인 내적 접근법과 외적 접근법을 정리한 글이다. 전자가 과학 문헌이나 과학 이론 등의 과학 내적 요소를 중시한다는 점에서 (나)와 유사하다면, 후자는 사회적·경제적·제도적 여건과 같은 과학 외부의 환경에 주목한다는 점에서 (가)와 공통점이 있다. 그러나 (다)는 양자의 상호 보완적 성격을 강조하였다는 점에서 (가), (나)와는 구별된다. (585자)

[문항 3] 공유지의 비극에 대한 (가), (나), (다)의 견해를 비교·분석하시오. (띄어쓰기 포함 500~600자 / 40점)

> (가)는 토마스 홉스의 아이디어에 기반해 공유지 비극의 해결책으로 국가 공권력의 도입을 제시한다. 법률과 규제를 만들고 이를 위반했을 때 강력히 처벌하자는 것이다. 그러나 국가의 개입은 과도한 집행 비용이 발생하고, 권한 남용과 부패를 초래할 수 있다고 한다. (나)는 아담 스미스의 이론을 토대로 공유 자원에 대한 사유 재산권 설정을 공유지 비극의 해결책으로 제시한다. 이 경우 땅주인은 자기 재산을 힘껏 관리할 것이므로 공유자원의 훼손을 막을 수 있다. 그러나 이런 해결책은 쪼갤 수 없는 공유자원의 특성으로 인해 소유권 획정이 어렵고 독점화의 우려가 있다는 것이다.
> (다)는 스페인 발렌시아 공동체 자치의 사례를 바탕으로 한 오스트롬의 해결책을 소개하

고 있다. 이에 따르면, 공유자원 관리는 공동체의 자치 활동과 자율적 규범을 통해서도 가능하다. (가), (나)의 견해는 모두 인간 행위가 이기적이라는 점을 전제로 한다. 이에 비해 (다)는 인간이 신뢰를 바탕으로 이기심을 극복하고 협력하기도 한다는 점을 보여준다. 따라서 공유지 비극에 대한 (다)의 해결책은 개인과 공동체의 이익을 함께 충족시킨다는 점에서 바람직한 대안으로 볼 수 있다. (584자)

2. 2024학년도 가톨릭대 모의 논술

[문항 1] (가)에 근거하여 (나)의 김 씨의 행위를 시민불복종으로 간주할 수 있는지에 대해 논하시오. (300~350자/20점)

(나)의 사건은 시민 불복종으로 볼 수 없다. 준법 거부 행위가 시민 불복종으로 간주되기 위한 몇 가지 조건이 있는데, (나)의 사건은 그 조건들을 충족하지 않는다. 공익과 정의가 위배된 경우에 일어나는 준법 거부 행위를 시민 불복종으로 간주하는데, 김 씨의 경우는 공익이 아닌 자신의 이익추구에 기인한 준법 거부라고 볼 수 있다. 즉 새 건물보다 낡은 건물에서 전기료가 더 많이 나오는 데는 타당한 이유가 있으므로 그것이 공익과 정의에 반한다고 볼 수 없고 따라서 시민 불복종으로 간주할 수 없다. 또한 김 씨가 준법 거부의 과정 끝에서 폭력을 행사하기까지 하였으므로 이 또한 시민 불복종으로 간주할 수 없는 이유가 된다. (348자)

[문항 2] 제시문 (나)와 (다)의 공통관점이 무엇인지를 밝히고, 이 공통관점을 (가)의 관점과 비교하여 서술하시오. (500~600자/40점)

(가)와 (나)의 '인의예지'는 (다)가 언급하는 '덕'의 유교 전통적 예가 된다는 점에서 세 제시문의 주제는 동일하지만, (나)와 (다) 사이에는 공통관점이 존재하고 이 관점은 (가)의 관점과 뚜렷한 대조를 이룬다.

(가)에 따르면, 인의예지라는 각각의 덕에는 '단서'라는 일종의 활성화 촉진제가 먼저 존재한다. 각 단서는 각 덕을 활성화시키는 어떤 마음이다. 예컨대, 인(仁)의 단서는 불쌍히 여기는 마음이고, 의(義)의 단서는 수치심이다. 중요한 점은, 덕의 단서적 촉진제 혹은 기초는 팔다리처럼 인간에게 처음부터 주어져있다는 것이다. 그런 점에서 덕은 혹은 덕의 기초는 인간의 구체적이고 특정한 본성으로서 주어져 있다.

반면에 (나)와 (다)는 덕 혹은 덕의 기초는 구체적인 본성으로서 주어져 있음을 부인한다. (나)와 (다)에 따르면 덕은 복숭아씨 혹은 감각들 혹은 팔다리처럼 본성적으로 생겨나는 것의 범주, 즉 자연의 범주에 속하는 것이 아니다. 덕은 인간의 유덕한 행동들을 통해 인간 스스로가 노력하여 얻는 획득적 자질이다. 덕은 건축가의 건축기술처럼 인간의 성취물이며, 이 성취를 이끄는 것은 해당 덕에 상응하는 인간 자신의 행동들이다. (588자)

[문항 3] (가)의 현상에 대한 (나)의 입장을 (다)의 관점에서 비판하시오. (500~600자/40점)

(가)는 트롤리 딜레마에 대해서 인공지능 챗GPT가 인간과 비슷한 도덕적 판단을 할 가능성이 있음을 시사하고 있다. (나)는 인공지능 기술이 더욱 발전하면 인공지능이 인간처럼 이성적 추론을 하고, 심지어 인간처럼 도덕적 판단을 함으로써 인공지능과 인간의 차이

가 사라질 것이라고 주장한다. 그러나 (다)의 관점에 따르면, 이러한 주장은 설득력이 없다. 첫째, 사실판단으로부터 도덕판단을 이끌어낼 수 없기 때문에 인공지능이 아무리 많은 정보를 활용하더라도 인간과 같은 도덕적 판단을 내릴 수는 없다. 둘째, 인간의 도덕적 판단은 이성적 추론이 아니라 감정과 그 감정이 유발하는 유용성에서 비롯되는데, 인공지능에는 그런 감정이 존재할 수 없기 때문에 인간과 같은 도덕적 판단이 불가능하다. 마지막으로 인간의 도덕적 판단은 타인의 감정에 대한 공감에서 비롯되는데, 인공지능이 인간처럼 타인에 대해 공감하는 것은 불가능하기 때문에 인간과 같은 도덕적 판단을 내리는 것은 불가능하다. (다)에서 제시하는 이러한 3가지 관점에 근거하여, 인간처럼 도덕적 판단이 가능한 인공지능이 등장할 것이라는 (나)의 입장을 비판할 수 있다. (568자)

3. 2023학년도 가톨릭대 수시 논술

[문항 1] 밑줄 친 ㉠에 대해, (가)와 (나)에 나타난 견해의 차이를 서술하시오. (띄어쓰기 포함 300~350자 / 20점)

(가)에 따르면, 중동 지역의 기후 등의 환경과 이에 적응하지 못하는 돼지의 생태적 조건, 고기만을 위해 사육되어야 하는 경제적 비효율성 등으로 인해 돼지의 충분한 사육이 이루어지지 않았다. 이에 돼지고기를 먹고 싶어 하는 히브리인의 욕구, 즉 '유혹'을 통제하기 위해 돼지고기 금기가 형성되었다고 설명한다. 이에 비해 (나)는 금기가 고대 히브리인의 종교적 신념에서 비롯되었다고 설명한다. 신의 축복을 받은 동물의 기준을 정하고, 돼지와 같이 이 기준에 벗어나는 것은 불결한 것으로 간주하여 그 고기를 거부했다는 것이다. 나아가 돼지고기를 먹는 집단을 배척함으로써 자신들만의 '신성함'을 구별 지을 수 있었다고 하였다. (349자)

[문항 2] (가)의 여론조사에 나타난 현상의 원인과 이를 해결하기 위한 대안을 (나)와 (다)의 관점에서 설명하시오. (띄어쓰기 포함 500~600자 / 40점)

(가)의 현상은 미국에서 시민들의 정당 분포나 정책적 입장이 크게 변하지 않았는데도, 민주당 지지자와 공화당 지지자들이 서로 감정적으로 미워하는 현상이 심화되고 있음을 보여준다. 이로 인해 사람들은 상대편 정당 지지자를 국가의 적이라고 생각하고, 자녀 결혼과 같은 비정치적 사안에서도 상대방을 배척하게 된다.

(나)에 따르면, 이러한 정서적 양극화는 사람들이 배타적인 내집단 의식에 근거해 외집단을 부정적으로 보기 때문이다. 또한 자신이 원하는 결론을 미리 정하고 그 결론을 뒷받침하는 증거만을 취사선택하는 지향성 목적으로 인해 상대편에 대한 기존 편견을 더욱 심화시키기 때문이다. 여기에 소셜미디어의 알고리즘은 기존 확증 편향을 강화시킬 수 있다.

정서적 양극화를 극복하기 위해 우리는 세상을 승자와 패자, 내집단과 외집단으로 구분하는 이분법을 피하고, 반대편과도 수시로 동맹을 유지할 수 있는 유연성을 가져야 한다. 동시에 다양한 대화와 공적 토론에 참여해 이견에 노출됨으로써 자신의 확신을 의심하고, 상대방의 의견을 이해하려는 태도를 길러야 한다. 이와 함께 소셜미디어의 알고리즘에 대해 비판적 자세를 가져야 한다. (572자)

[문항 3] (가)에 나타난 역사서술과 역사소설의 공통점과 차이점을 요약하고, 이를 토대로 (나)와 (다)를 비교·분석하시오. (띄어쓰기 포함 500~600자/ 40점)

역사서술과 역사소설은 둘 다 과거를 소재로 하고 서사의 형식과 구조를 갖지만, 중요한 의미가 부여 된 일부 사실만 선별되어 작품화된다는 공통점이 있다. 그러나 양자는 서술의 목적, 사료의 제약 정도, 문체 등에서 큰 차이점이 있다. 역사서술은 과거에 대한 객관적 이해라는 목표를 추구한다. 사료의 엄격한 제한을 받으며, 그 내용은 간결하고 명확한 설명투의 언어로 서술된다. 반면, 역사소설의 궁극적 목적은 비록 허구이지만 현실성 있는 인물과 사건을 창작해 독자에게 흥미와 감동을 주는 것이다. 따라서 사료와 문체의 제약에서 벗어나 자유롭게 대상 시대와 인물을 재창조한다.

이러한 관점에서 볼 때, (나)와 (다)는 우선 서사의 형식과 구조를 갖는 공통점이 발견된다. 한편 (나)는 명량해전의 역사적 의미, 면의 죽음과 이순신의 대처를 객관적이고 명료한 언어로 설명하는 데 주력한다. 반면 (다)는 장문의 독백과 문학적 비유가 가미된 주관적 심리 묘사로 이순신의 내면을 생생하게 재현함으로써 흥미와 감동을 유발한다. 아울러 이순신의 비극적 사건에 투영된 삶의 보편적 고뇌, 즉 자식 잃은 아버지의 비통한 심정을 독자로 하여금 간접적으로 체험하게 한다. (586자)

4. 2023학년도 가톨릭대 모의 논술

[문항 1] (가)를 참고하여, 본부장이 배석자들을 데리고 협상장을 떠난 이유를 설명하시오. (띄어쓰기 포함 300~350자 / 20점)

쇠고기 추가협상에서 우리 측이 협상장을 박차고 일어난 것은 협상 가능 영역이 존재하지 않았다는 뜻으로 볼 수 있다. 이 상황에서 협상을 계속 진행하려면 우리 측이나 미국 측이 협상 포기 한계선을 바꿔야 한다. 본부장은 협상이 지연되거나 결렬되면 미국 측의 손해가 훨씬 크기 때문에 미국 측이 합의를 더 절박하게 원한다고 판단했다. 미국 측의 상황이 정말 그렇다면 우리 측이 협상 포기 한계선을 바꿀 수 없음을 보여주어 미국 측이 협상 포기 한계선을 바꾸지 않을 수 없게 압박하는 것이 좋은 방법이다. 그래서 본부장은 협상의 결렬을 선언하듯이 배석자들을 데리고 자리를 뜬 것이다. (323자)

[문항 2] (가)의 주장을 (나)와 (다)를 통해 비판하시오. (띄어쓰기 포함 500~600자 / 40점)

(가)에서는 시장 경제 체제가 개인과 기업의 자유로운 경제 활동을 보장함으로써 사회 전체에 이득을 가져올 수 있다고 말한다. 개인은 수요를 통해 만족감을 최대한으로 추구하고, 기업은 공급을 통해 최대한의 이윤을 추구함으로써 사회 전체의 이득을 높이는 데 이바지한다는 것이다. 하지만 (나)에서 허생이 시장에 공급되는 물건을 독점함으로써 자신의 이윤만 극대화하고 수많은 백성들에게 피해를 주었기 때문에 결과적으로 사회 전체의 이득이 높아졌다고 할 수 없다. (다)에서는 개인을 위해서 필요한 서비스가 적절히 공급되지 못하는 상황이 제시되고 있다. 사람들에게 거리의 가로등이나 경찰의 치안 서비스가 필요하지만 소비자가 이 서비스를 누리는 만큼 비용을 지불하는 것이 아니기 때문에 합당한 이윤을 얻을 수 없는 공급자들이 해당 서비스를 공급하지 않는 것이다. 이 경우에도 시장 경제 체제가 적절히 작동했다고 할 수 없다. (나)와 (다)를 볼 때 (가)의 주장과 달리 시장 경제 체제가 항상 사회 전체의 이득을 가져오지 않는다는 것을 알 수 있다. (526자)

[문항 3] (가)와 (나)의 관점에 근거하여 (다)의 현상을 설명하고 비판하시오. (띄어쓰기

이력서 심사 알고리즘과 입학 사정 알고리즘이 지원자들의 합격 여부에 결정적인 영향을 미치지만 당사자들은 왜 그런 결과가 나왔는지 알 수 없다. 또 과거의 데이터에 근거한 알고리즘에 의해 단순히 흑인이라는 이유로, 또는 특정 지역 출신이라는 이유로 불이익을 받는 것은 공정하지 못하다. 이는 입사 면접에서 흑인을 차별해 탈락시켰던 과거의 데이터와 입학 사정 때 특정 지역 사람들이 영어 사용 미숙으로 탈락했던 과거의 데이터를 알고리즘이 사용했기 때문이다. 이처럼 불이익을 당한 당사자가 알고리즘의 내용을 알 수 없고, 불공정했던 과거의 데이터를 활용한 알고리즘에 의해 불이익을 당했다는 점에서 이러한 알고리즘은 나쁜 알고리즘이라고 할 수 있다. 알고리즘은 원래 인간의 편의를 위해 개발된 것이지만, 오히려 그로 인해 더 불공정하고 불평등한 결과가 만들어졌다. 알고리즘은 과거의 데이터를 사용하고 인간의 편견이 프로그램화되기 때문에 절대 완벽하거나 공정할 수 없다. 따라서 우리는 도덕적 상상력을 바탕으로 인간의 존엄성 구현과 삶의 질 향상에 기여할 수 있는 투명하고 공정한 알고리즘을 만들기 위해 노력해야 한다. (566자)

5. 2022학년도 가톨릭대 수시 논술 (A)

[문항 1] 제시문 (가), (나)는 로봇 기술의 발달이 가져올 수 있는 상황과 관련된 글이다. 이와 관련하여 (가), (나)의 공통점과 차이점을 서술하시오. (300~350자 / 20점)

제시문 (가)와 (나)는 인공지능 기술이 발달함에 따라 로봇이 인간과 유사한 능력과 권리를 가지게 될 충분한 가능성을 인정하고 있다. (가)에서는 로봇이 노동을 제공하는 기계가 아니라 삶의 동반자로서의 역할을 담당할 수 있음에 주목한다. 이에 로봇을 주체적 의식을 가진 개체로 인식할 가능성을 언급하고 있다. (나) 역시 주체적인 의식을 지닌 로봇 출현의 가능성을 강하게 인정한다. 반면 '로봇윤리헌장' 제정 등 이러한 로봇과의 공존을 모색하려는 시도가 실효성이 없다는 점에 주목하고, 그러한 로봇 창조 혹은 개발에 대한 부정적 견해를 드러내고 있다는 점에서 차이점을 보인다. (323자)

[문항 2] 제시문 (가)는 주류 문화와 하위문화에 관한 글이다. 이를 바탕으로 (나), (다)를 비교·분석하시오. (500~600자 / 40점)

제시문 (가)는 주류 문화와 하위문화의 관계 및 하위문화의 특징을 보여준다. 하위문화는 주류 문화와의 작용 속에서 각종 사회적 혼란을 초래하기도 하지만, 사회 전체의 문화를 다채롭게 하고 나아가 주류 문화를 변화시키기도 한다.

제시문 (나)와 (다)는 모두 하위문화가 점차 주류 문화로 편입되어 가는 과정을 보여준다. 이들은 청년 세대를 중심으로 나타난 문화라는 점에서 세대 문화의 특징을 드러내는 동시에, 사회 비판적인 메시지와 기존 음악 체계에 대한 저항성을 바탕으로 반문화의 특징을 드러내기도 한다. 또한 모두 초기에는 주류 문화와 갈등을 빚었지만 점차 주류 문화를 변화시키고 그 자신이 주류 문화로 발전하게 된다.

그러나 주류 문화로 자리 잡은 이후의 행보에는 차이가 나타난다. (나)의 '서태지와 아이들'이 오늘날 아이돌을 중심으로 한 K-POP 문화에 긍정적 영향을 미치며 K-POP의 선구자로 평가되고 있다면, (다)의 힙합은 '자유분방', '솔직함', '거리 문화'와 같은 힙합 본연의 이념과 정신을 잃어버리고 물질만능, 쾌락적 정서에 바탕을 둔 마초이즘적 자기표현 방식에 매몰되는 등 부정적인 요소를 드러내게 되었다. (578자)

[문항 3] 제시문 (가)의 관점을 제시하고, (나)를 활용하여 (다)를 비판하시오. (띄어쓰기 포함 500~600자/ 40점)

근대 유럽인의 입장에서 본 (다)에 의하면, 콜럼버스의 '신대륙 발견'은 전 세계 교역망을 통합하고 서구 근대 문명을 전파하여 아메리카 원주민을 문명화하는 데 공헌한 역사적 사건이다. 아울러 식민지 개척과 대서양 무역을 통해 유럽 각국에 막대한 부가 축적됨과 동시에, 서양 중세의 봉건제가 약화되고 근대자본주의 발달이 촉진되는 계기가 되었다.

그러나 (가)의 적절한 고기잡이 비유를 통해 알 수 있듯이, 역사는 동일한 사건이라도 누가·어떤 입장에서 서술하는가에 따라 달라질 수 있다. 아메리카 원주민의 시선에서 본 (나)는 콜럼버스의 도착을 (다)와 전혀 다르게 설명한다. 유럽 정복자에 의해 소멸된 아메리카 문명과 원주민을 감안하면 '신대륙 발견'은 유럽중심주의적 시각이 투영된 용어이다. 유럽의 식민 세력은 아메리카에서 획득한 금과 은, 담배와 설탕 등을 해외로 반출했다. 광산 채굴 또는 상업 작물 재배에 강제 동원되거나 유럽에서 전파된 신종 전염병에 걸린 많은 원주민이 사망하였다. 부족해진 노동력은 아프리카의 흑인 노예로 보충되었다. 따라서 아메리카 원주민에게 콜럼버스의 도착은 재앙과 파괴의 기원이었을 뿐이다. (570자)

6. 2022학년도 가톨릭대 수시 논술 (B)

[문항 1] 제시문 (가)에 근거하여 (나)에 나타난 정보의 비대칭과 도덕적 해이를 설명하시오. (띄어쓰기 포함 300~350자 / 20점)

자유 계약 선수인 A 선수와 B 구단 사이에는 정보의 비대칭이 존재하였다. A 선수는 자신의 알려지지 않은 무릎 부상에 관한 완전한 정보를 가지고 있지만 계약을 체결한 B 구단은 그러한 정보를 얻지 못하였다. 이러한 정보의 비대칭으로 말미암아 구단은 결국 선수의 가치 이상으로 높은 연봉을 제시하면서 손해를 보는 계약을 체결하게 되었다. 계약이 성사된 후에 보여준 A 선수의 태도는 도덕적 해이로 간주될 수 있다. 경기력에 상관없이 계약상의 연봉이 보장된다는 자유 계약 선수 제도에 안주하여 최선을 다하지 않는 모습을 보이는 것은 도덕적 해이에 해당한다.

[문항 2] 제시문 (가)는 인간과 자연의 관계에 관한 글이다. 이를 바탕으로 (나), (다)의 내용을 비교·분석하시오. (띄어쓰기 포함 500~600자 / 40점)

제시문 (가)에서는 전일론적 관점에서 자연을 인간, 동식물, 환경 등이 유기적으로 엮여 있는 생태계로 바라보면서 인간의 이익보다 자연 전체의 균형과 안정을 우선시할 것을 주장한다. 따라서 인간의 생존과 복지를 위해 자연을 이용하면서도 인간이 자연과 조화를 이루며 공존해야 한다고 말한다. 제시문 (나)의 상림은 수해를 방지하고 바람을 막아 농작물이 제대로 열매를 맺게 했다는 점에서 인간의 생존과 복지를 위해 이용되면서도 동식물에게 삶의 터전을 제공하고 제방 생태계를 유지하기도 했다. 인간과 자연이 유기체적 관계를 이루므로 인간이 조성한 숲이 인간을 포함한 생태계 전체의 안정을 가져왔다. 이는 인간이 자연을 이용하면서도 자연과 균형을 이루며 공존한 사례이다. 반면, (다)는 인간과 자연의 유기체적 관계를 제대로 고려하지 못한 사례이다. 고랭지 농업이나 목축업, 그리고 다양한 건설과 레저 시설 등의 개발로 일어난 산림 훼손이 인근 주민에게 홍수 피해를 주고 있다. 자연의 이용으로 인한 산림 훼손이 자연의 균형을 깨뜨리고 이것이 인간에게 부정적 영향을 미치게 되었음을 알 수 있다.

[문항 3] 제시문 (가), (나), (다)의 예술에 대한 견해를 비교하여 서술하시오. (띄어쓰기 포함 500~600자 / 40점)

제시문 (가), (나), (다)는 모두 예술의 존재 의미를 드러내고 있지만, 미적 가치와 윤리적 가치가 어떻게 관계를 형성하고 있는지에 따라 서로 다른 관점을 보여주고 있다. (가)는 예술을 통해 인격을 도야함으로써 진정한 인간다움에 이를 수 있다는 공자의 인식을 소개하고 있다. 이는 예술의 미적 가치와 윤리적 가치의 조화를 통해 인격 형성에 긍정적 영향을 미치고 있음을 말하는 것이다.

이에 비해 (나)는 문학과 사회의 관계를 전제로 김수영의 문학과 현실에 대한 인식을 보여주고 있다. 현실적 억압을 극복하고 자유롭게 작품을 발표할 수 있는 사회가 되어야 함을 강조하고 있다. 이를 통해 문학의 사회적 기능과 작가의 역할에 대해 새로운 방향을 제시하고 있다.

한편, (다)는 (가), (나)와는 달리 예술작품이 어떤 목적을 위한 것이 아니라, 그 자체로 의미를 지니고 있음을 말하고 있다. 유미주의자들에게 예술은 절대 그 무엇을 위한 도구로 기능하지 않는다. 예술은 윤리적 가치 판단의 대상이 아니라, 미적인 감각만 불러일으키면 된다고 보는 것이다.

7. 2022학년도 가톨릭대 모의 논술

[문항 1] (가)를 바탕으로 (나)의 '소비' 현상을 설명하고 비판하시오. (띄어쓰기 포함 300~350자 / 20점)

(가)에서 합리적 선택은 편익이 비용보다 큰 것을 의미하며, 편익에는 금전적인 것뿐만 아니라 비금전적인 것도 포함된다고 말한다. 이때 효율성만 따를 경우, 장기적으로 더 많은 편익과 비용을 간과할 수 있다고 지적한다. (나)에서 유행에 따른 옷 소비 현상과 관련하여 의류 기업은 빠른 시간 내에 많은 옷 소비를 유도함으로써 금전적 편익을 얻고 소비자도 저렴한 비용으로 유행을 따를 수 있기 때문에 금전적 이득뿐만 아니라 정신적 만족감도 얻는다는 점에서 합리적 선택을 했다고 볼 수 있다. 하지만, 이는 생산과 소비를 통해 환경오염을 초래하고 결국 더 많은 비용을 발생시킨다는 점에서 문제가 될 수 있다.

(337자)

[문항 2] (다)를 참고하여, (가)와 (나)의 필자가 세계를 바라보는 태도를 각각 설명하시오. (띄어쓰기 포함 500~600자 / 40점)

(가)의 필자가 세계를 바라보는 태도는 (다)의 갈등론과 유사하다. 농부는 작물과 잡풀을 살릴 수도 있고 죽일 수도 있으므로 이들을 지배한다고 할 수 있다. 즉 농부와 작물 및 잡풀은 불평등하다. 또 농부가 작물을 잘 키우기 위해 잡풀을 제거하므로 작물과 잡풀은 불

평등하다. 잡풀은 작물과의 경쟁 속에서 살아남기 위해, 그리고 농부의 제거 시도에 저항하며 갈등을 일으킨다. 이와 같이 세계의 구성원들 사이에는 지배와 피지배의 관계가 존재한다. 각자의 지위가 불평등하므로 구성원들 사이에 갈등이 존재한다. (나)의 필자가 세계를 바라보는 태도는 (다)의 기능론과 유사하다. 사람, 들짐승, 새, 풀 같은 생명체는 물론이고 돌이나 시냇물 같은 존재도 모두 그 나름대로의 인격과 지혜를 갖추고 있다. 모든 존재가 자신에게 필요한 몫을 나누어 가지고 있으며 존재하는 것 자체가 아름답다. 자신에게 주어진 것에 적응할 뿐이고 불평하지 않는다. 이와 같이 세계의 모든 구성원은 지위가 대등하고 모든 구성원이 각자의 역할을 맡으면서 공존하며 조화를 이룬다. 구성원들의 몫이 각각 달라도 그것은 불평등한 것이 아니다. (560자)

[문항 3] (가)의 이계심의 행위에 대해 정약용이 내린 판결을 (나)와 (다)를 토대로 정당화하시오. (띄어쓰기 포함 500~600자 / 40점)

(가)에서 이계심은 백성들에게 부당하게 부과된 군포 대금의 문제에 대해 항의를 하려다 죄인으로 몰려 도주한 사람이다. (나)에 따르면, 군포 대금을 과도하게 요구하고 빼돌린 서리들의 행위는 사회적으로 허용된 행동 범위를 벗어났을 뿐만 아니라 사회적 비난과 법적인 처벌도 받을 수 있는 일탈 행동이라 할 수 있다. 따라서 이계심의 항의는 서리들의 일탈 행동에 의해 야기된 사건이라 할 수 있다. 그런데 전 수령과 서리들은 오히려 이계심의 행위가 사회 불안정을 초래하는 일탈 행동이라고 간주하고 있다. 그러나 (다)에 따르면, 이계심의 항의는 일탈 행동이라기보다는 부당한 권위나 착취에 대항한 행위, 즉 시민 불복종 행위로 볼 수 있다. 이에 대한 근거는 세 가지이다. 첫째, 이계심은 사적 이익이 아닌 공공의 이익을 위해 군포 대금의 문제점을 지적하였다. 둘째, 그는 자수를 함으로써 자신의 행위에 대해 어떠한 처벌도 감수하려고 했다. 셋째, 군포 대금의 비리에 대해 비폭력적으로 항의했다. 따라서 군포 대금 문제에 대한 이계심의 항의는 그 목적과 방법이 정당하였으므로 이계심의 행위에 대해 정약용이 내린 무죄 판결은 정당하다고 볼 수 있다. (587자)

8. 2021학년도 가톨릭대 수시 논술

[문항 1] '자장면'과 '짜장면'을 표준어로 인정하게 된 각각의 근거를 (가), (나)에 제시된 표기법 및 원칙을 이용하여 설명하시오. (300~350자 / 20점)

'자장면'을 표준어로 인정한 것은 외국어 본래의 발음을 반영하여 표기한다는 원칙 및 외래어 표기법의 세부사항에 근거한다. 단어의 어원은 중국어 '작장면'인데, 그 첫소리인 'zh'를 우리말에서는 'ㅈ'으로 표기한다는 외래어 표기법에 의하여 '자장면'이 표준어가 되었다. 2011년 이후에는 '짜장면'도 표준어로 인정되었는데, 이는 다수가 사용해 오면서 굳어진 외래어는 관용(慣用)을 존중하여 표기한다는 원칙에 근거한다. 즉, radio라는 단어의 외래어 표기가 영어 발음인 '레이디오우'를 따르지 않고 사람들에게 익숙한 '라디오'가 된 것처럼, 대중이 사용해온 발음을 반영하는 '짜장면'이 표준어로 인정받게 되었다.

[문항 2] (가)의 내용을 토대로 (나)의 '직장인 이씨'와 (다)의 '종술'의 심리를 비교해서 서술하시오. (500~600자 / 40점)

(가)에서는 집단 내 관계를 중시하는 관계주의 문화에서는 자신의 지위나 능력에 대한 판단도 상대방의 평가에 크게 의존하고 남의 주장에 자신의 의견을 일치시키려 하지만 자존감의 수준에 따라 집단의 영향을 덜 받는 등 집단 내에서 자신의 위치를 다르게 인식할 수 있다고 말한다. 이 점에서 자신에 대한 평가인 자존감이 중요해지는데, 낮은 자존감을 지닌 사람이 이를 극복하고자 할 때, 자신의 물리적 소유물로 물적 자기를 쉽게 고양할 수 있기에 이에 의존하게 된다. (나)의 '직장인 이씨'와 (다)의 '종술'은 모두 물리적 소유물을 통해 물적 자기를 고양하여 자존감을 회복하고자 한다는 점에서 공통점을 보인다. 하지만, (나)의 '직장인 이씨'는 SNS에 게시한 명품 가방이나 고급 자동차의 사진에 대한 타인의 반응을 통해서 자신이 특정집단에 소속되어 있다는 사실을 확인하고 자존감을 높이고자 하는데 반해, (다)의 '종술'은 자기 스스로 권위를 부여한 완장을 차고 남들과의 관계에서 지배적 지위를 차지함으로써 자존감을 높이고자 한다는 점이 차이점이라고 할 수 있다.

[문항 3] (가)에 제시된 국민연금 강제 가입에 대한 입장을 (나)와 (다)의 관점에 근거해서 반박하시오. (띄어쓰기 포함 500~600자 / 40점)

 (가)에서 반대자들은 국민연금 가입을 원치 않는데도, 보험료를 내야 한다는 사실에 불만을 터뜨린다. 이들은 국민연금 의무가입이 재산권 등 기본권을 침해하고, 시장경제질서에 위배된다고 주장하기도 한다. 그러나 이는 두 가지 이유에서 반박될 수 있다. 첫째, 인간의 합리성은 불완전하다는 점이다. 합리적 인간이라면, 미래 빈곤에 대비해 소비를 줄이고, 저축을 늘리는 선택을 할 것이다. 그러나 실제 인간은 미래 위험을 과소평가하기 때문에 저축보다 소비를 선택한다. 이처럼 불완전한 합리성에 의한 선택을 개인의 자유라는 이유로 방임하는 것은 옳지 않다. 정부는 국민연금 가입을 의무화함으로써 개개인이 미래의 위험에 충분히 대비할 수 있도록 해야 한다.
 둘째, 국민연금 가입을 개인의 선택에 맡길 경우 역선택에 의한 시장실패의 가능성이 있다는 점이다. 개인이 국민연금과 민영보험을 선택할 수 있다면, 민영연금은 고소득층만을 선별하게 될 것이고, 그렇지 않은 국민연금은 고위험층만 남게 돼 결국 붕괴되고 말 것이다. 이를 방지하기 위해 국민연금 의무가입이 필요하다.

9. 2021학년도 가톨릭대 모의 논술

[문항 1] (가)를 참고하여, (나)의 바슐라르와 (다)의 필자가 행복을 실현한 공통적인 방법이 무엇인지 설명하시오. (띄어쓰기 포함 300~350자 / 20점)

 북적이는 대도시의 시끄러운 주거환경은 (나)의 바슐라르에게 마음의 평온과 행복을 가로막는 방해물이 될 수 있었다. 또 (다)의 필자는 목발에 의지해야 하고 별다른 재능도 없는 자신의 처지를 불행하다고 생각했었다. 바슐라르와 (다)의 필자가 처한 상황은 행복을 실현하는 데 불리한 객관적 조건이라 할 수 있다. 객관적 소선을 바꾸려고 애쓰는 대신 그러한 상황을 대하는 마음가짐과 태도를 바꾸는 것은 가능하다. 바슐라르는 자신에게 주어진 주거환경을 긍정적인 방향으로 받아들임으로써, (다)의 필자는 자신이 가진 다른 조건들에서 만족감을 느낌으로써 행복을 실현할 수 있었다. (319자)

[문항 2] (가)에 제시된 뉴미디어 현상을 (나)와 (다)의 관점에서 분석하고 비판하시오.

> 유튜브의 추천 알고리즘은 이용자의 입맛에만 맞는 콘텐츠를 제공함으로써 이용자의 고정관념과 편견을 강화한다. 이렇게 자신과 다른 생각이나 의견을 만날 기회가 차단되고, 비슷한 생각과 의견만을 접하게 되면 자기만 옳다는 독선과 자기 생각의 한계를 깨닫지 못하는 오류에 빠지게 된다. 서로 다른 의견을 가진 시민들 간의 활발한 토론과 심의를 통해 시민들은 역지사지의 태도와 이견을 포용하는 관용의 태도를 기르며, 이러한 과정은 건강한 민주주의의 토대가 된다. 그러나 이용자의 고정관념과 편견을 강화하는 뉴미디어는 자신과 정치적 의견이 다른 시민들과의 토론과 심의를 방해하기 때문에 민주주의 발전에 부정적이다. 또한 밀에 따르면, 어떤 지배적 의견도 부분적 진리에 불과하다. 따라서 통설과 다른 다양한 이견들과의 토론과 논쟁을 통해 보다 완전한 진리에 다가갈 수 있다. 그러나 유튜브의 추천 알고리즘은 이견을 만날 가능성을 현저히 줄이기 때문에 진리의 발견을 어렵게 한다. 종합하면, 유튜브 등 뉴미디어의 추천 알고리즘은 민주주의 발전과 진리의 발견이라는 양 측면에서 부정적 영향을 미친다. (551자)

[문항 3] (가)와 (나)에 근거하여, (다)에서 헌법소원을 제기한 대형유통업체의 주장이 타당한지를 논하시오. (띄어쓰기 포함 500~600자 / 40점)

> 소형마트는 규제하지 않으면서 대형마트만 일요일 영업을 제한하는 것은 일견 불평등한 정책으로 보일 수 있으나, (가)에서 언급하는 실질적 평등의 관점에서 보면 타당한 정책이며 헌법상의 평등권을 위배한 것이 아니다. 그리고 (나)에서 나타나듯이 우리나라는 공정한 경쟁질서와 사회정의를 실현하기 위해서 국가가 규제와 조정을 할 수 있는 사회적 시장경제 체제하에 있다. 그러므로 개인의 경제활동에 제약을 가할 이유가 충분하다면 국가가 나서야 하며, 이것은 시장경제 질서를 무너뜨리는 것이 아니다. (다)의 경우에서와 같이 대형유통업체와 중소유통업체가 현격한 규모의 차이로 인하여 공정한 경쟁을 할 수 없다면, 법률을 제정하여 중소유통업체 들의 경쟁력을 키워줄 필요가 있으며 이러한 법률의 제정은 시장의 불균형을 해소하고 공정성을 제고한다는 합리적인 이유가 있기 때문에 차별이라고 볼 수 없다. 즉 (가)에서 언급하고 있는 헌법상 평등권을 침해한 것이 아니며, 따라서 헌법소원을 제기한 대형유통 업체의 주장은 타당하지 않다. (513자)

10. 2020학년도 가톨릭대 수시 논술

[문항 1] (가)의 사례를 읽고, 경제적 인간과 공익에 대한 (나)의 관점을 비판하시오. (띄어쓰기 포함 300~350자 / 20점)

> (나)는 경제적 인간은 자신의 선호를 바탕으로 최적의 선택을 하며, 그들의 이기적 행동이 사회 전체적으로 좋은 결과를 가져온다고 주장한다. 따라서 각 개인은 자신의 선택이 사회적으로 어떤 결과를 가져올지 고민할 필요 없이 오직 자기 일만 열심히 하면 된다고 주장한다.
> 그러나 (가)는 개인적 수준의 합리적 행위가 사회 전체적으로는 합리적이지 않을 수 있음을 보여준다. 두 명의 어부가 각자 자기 이익의 극대화를 위한 선택을 했지만, 제한된 어장에서의 경쟁 격화는 자원 고갈을 초래해 결국 모두 피해자가 됐다. 따라서 경제적 인간의 이기적 행동이 사회의 이익에 기여한다는 주장이 반드시 옳은 것은 아님을 알 수 있다.

(345자)

[문항 2] (가), (나)는 인간의 성장과 발달에 영향을 미치는 요인을 대립적 관점에서 서술하고 있다. 이 대립적 관점을 요약·제시하고, 이를 바탕으로 (다)의 쌍둥이 사례를 설명하시오. (띄어쓰기 포함 500~600자 / 40점)

(가)의 경우 사모아 사회에서 사춘기 청소년이 경쟁적인 다른 사회의 청소년들과 달리 매우 평온한 시기를 보낸다는 점을 근거로 사춘기 현상이 사회문화적 영향을 받은 결과라고 말한다. 반면 (나)는 사춘기 시절 뇌의 발달과정을 설명하는 이론을 근거로 사춘기 현상은 어떤 문화권에 속해 있는지와 상관없이, 청소년기에 보편적으로 나타나는 생물학적 현상임을 말하고 있다.

(다)는 서로 다른 집안으로 입양돼 성장한 일란성 쌍둥이의 사례를 통해 사회문화적 요인과 생물학적 요인이 개인의 발달에 각각 어떤 영향을 미쳤는지를 보여준다. 이들 쌍둥이는 외모, 식성, 인지 능력 등에서 거의 차이가 없었는데, 이는 동일한 유전자의 영향, 즉 개인의 성장에서 생물학적 요인의 영향력을 보여주는 사례이다. 그러나 이들 쌍둥이는 성격과 취미 등에서 매우 달랐는데, 이는 동일한 유전자를 가졌더라도 자라난 환경에 의해 차이가 날 수 있음을 보여준다. 이를 통해 우리는 개인의 성장과 발달을 설명할 때, 사회문화적 결정론이나 생물학적 결정론에 빠지지 말고, 두 가지 측면을 적절히 고려해야 함을 알 수 있다. (551자)

[문항 3] (가), (나), (다)는 각각 다른 관점에서 문명(과학기술)을 비판하고 있다. 문명(과학기술) 비판에 대한 (가), (나), (다)의 차이점을 비교·서술하시오. (띄어쓰기 포함 500~600자 / 40점)

(가), (나), (다)는 공통적으로 과학기술 문명을 비판하고 있지만, 그 이유는 제각각 다르다.

(가)에서는 문명은 인간의 의무와 도덕에 대한 가르침을 의미하는데, 과학기술 문명은 이를 망각하게 만들었다는 점을 지적하면서 도덕 정신의 상실이라는 관점에서 비판한다.

이에 비해 (나)는 과학기술 문명 발전으로 인한 신화 체계의 소멸을 말하고 있다. 과거 신화의 세계는 상상과 신비로움으로 가득했고, 이를 통해 인간은 삶의 궁극적 의미를 깨달을 수 있었다. 그러나 과학기술 문명의 발전으로 신화의 세계가 사라지면서 인간 역시 삶의 궁극적 의미를 상실했다. (나)의 과학기술 문명 비판의 촛점은 삶의 궁극적 의미의 상실이라는 점이다.

(다)에서의 과학기술 문명 비판은 다의적이다. (다)에서 '자동문'으로 상징되는 과학기술 문명 앞에서 인간은 '날개없는 키위새'로 은유되고 있다. 이는 자동화된 기계문명의 편리함에 길들여져 자신이 가진 능력을 상실한 채 무력해진 현대인의 모습을 통해 과학기술 문명을 비판하는 것으로 해석할 수 있다. (524자)

11. 2020학년도 가톨릭대 모의 논술

[문항 1] 제시문 (가)의 ①에서 ②로 발상을 전환하는 방식이 제시문 (나)의 ③에서 ④로 발상을 전환하는 방식과 다른 점이 무엇인지 설명하시오. (띄어쓰기 포함 300~350자 / 20점)

①에서는 포식자를 주체로, 피식자를 대상으로 삼아 포식자의 행복한 가정을 묘사하고 있다. ②에서는 피식자를 주체로 삼아 피식자 가정의 불행을 지적하고 있다. ①과 ②에서의 발상의 전환은 포식자와 피식자 사이의 사건을 바라보는 시점이 달라지는 것이다. ③과 ④는 문제가 생겼을 때 미루지 않고 일찍 고치는 것이 중요함을 말하고 있다. ③에서는 사물을 소재로, ④에서 사람과 사회를 소재로 하고 있다. 사물과 사람·사회는 서로 다른 영역이어서 직접 관련되지 않지만, 두 영역에서 일어나는 일이 서로 비슷한 면을 가지고 있기 때문에 ③에서 ④로의 발상의 전환에 비유가 사용되었다. (324자)

[문항 2] 제시문 (가)를 바탕으로 제시문 (나)에서 헉(Huck)이 보여준 태도의 문제점을 설명하시오. (띄어쓰기 포함 500~600자 / 40점)

제시문 (나)에서 헉(Huck)이 보여준 태도의 문제점은 흑인 노예에 대한 이중성이라고 볼 수 있다. 짐이 체포되었을 당시, 헉은 주인에게 짐이 있는 곳을 알려주었어야 한다. 그러나 여행을 함께 하면서 갖게 된 짐에 대한 연민은 헉의 도덕적 양심을 깨우는 계기가 된다. 심지어 그는 짐을 자신과 동등한 존재로 인정하고 노예의 속박으로부터 해방시켜주려는 적극적인 태도까지 보인다. 그럼에도 불구하고 흑인에 대한 헉의 입장은 샐리 아주머니처럼 당시 사회에 만연한 인종차별적 태도에서 크게 벗어나지 못하는 한계를 드러내고 있다.

이러한 헉의 이중적 태도는 (가)에 제시된 개인의 도덕성과 집단의 도덕성의 차이를 통해 설명 가능하다. 짐이 체포되었을 때 헉은 한 개인으로서 자신의 이익이 아닌 짐의 이익을 위해 도덕적으로 행동했다. 그러나 샐리 아주머니와의 대화에서는 한 개인이 아니라 집단의 구성원으로 행동함으로써 비도덕적인 집단의 의견에 순응하는 태도를 보였다. 이로써 헉의 행위는 윤리적이었다고 볼 수 있으나 사회 집단 안에서 보여준 헉의 행위는 윤리적이었다고 볼 수 없다. (537자)

[문항 3] 제시문 (가)의 논점을 바탕으로 제시문 (나)와 (다)의 현상을 분석하시오.
(띄어쓰기 포함 500~600자 / 40점)

(가)는 어떤 문제를 해결하려는 노력이 예상치 못한 부작용을 낳으면서 오히려 문제를 악화시키는 상황을 묘사하고 있다. 이러한 상황의 주된 책임은 해결책의 허점을 이용하여 자신의 이익을 챙기려는 이들에게 있다.

(나)는 모든 시민에게 최소한의 인간다운 삶을 보장하기 위해 고안된 복지 정책이 정부에 대한 의존도를 높여 생산성과 효율성을 저하시킬 뿐 아니라 기초생활급여를 부정 수급하는 자의 수가 증가하는 등의 문제를 발생시키는 상황을 제시하고 있다. 다만 복지 정책으로 인해 시민들이 인간다운 삶을 사는 것이 더 어려워졌다고 볼 수는 없기 때문에 (가)에서와 같이 정책을 시행하지 아니함만 못하다고 결론 내릴 수는 없다.

(다)는 반인도적 범죄의 위협에 처한 국가에 국제 사회나 주변 국가가 개입해야 한다는 원칙이 이를 악용하는 집단에 의해 왜곡되는 상황을 그리고 있다. 코소보에서 젊은 코소보 분리주의자들은 정치적 독립이라는 목표 달성을 위해 폭력을 의도적으로 조장했고, 이는 갈등의 평화적인 해결을 막았다. 이는 (가)에서와 같이 문제를 해결하려는 노력이 오히려 문제를 더 악화시킨 사례로 이해할 수 있다. (564자)